上海市郊区水利新技术论文集

主　编　刘晓涛

副主编　吴景社　桑保良

黄河水利出版社

内 容 提 要

本书是对上海市郊区水利建设中采用或发展的新理论、新技术的概括与总结。全书分为三个部分,第一部分为"综合研究篇",介绍了自动化、信息化、标准化及雨水资源化技术等在郊区水利建设中的运用。第二部分为"河道治理篇",既有利用物理和生物方法修复河道水质的新成果、新经验,又有注重生态环境友好的护坡建设新技术。第三部分为"灌溉排水篇",提出了新时期上海灌溉试验工作的作用与任务,介绍了在灌溉排水技术方面取得的新实践和新成果。

本书可供从事农田水利、水环境治理、农业节水等方面的科技工作者阅读参考。

图书在版编目(CIP)数据

上海市郊区水利新技术论文集/刘晓涛主编 .—郑州:
黄河水利出版社,2005.12
ISBN 7 - 80734 - 016 - 9

Ⅰ.上… Ⅱ.刘… Ⅲ.农田水利 - 上海市 - 文集
Ⅳ.S279.251

中国版本图书馆 CIP 数据核字(2005)第 146962 号

出 版 社:黄河水利出版社
　　　　地址:河南省郑州市金水路 11 号　　　　邮政编码:450003
发行单位:黄河水利出版社
　　　　发行部电话:0371 - 66026940　　　　传真:0371 - 66022620
　　　　E-mail:yrcp@public.zz.ha.cn
承印单位:黄河水利委员会印刷厂
开本:787 mm×1 092 mm　1/16
印张:9.625
字数:234 千字　　　　　　　　　　印数:1—1 000
版次:2005 年 12 月第 1 版　　　　　印次:2005 年 12 月第 1 次印刷

书号:ISBN 7 - 80734 - 016 - 9/S·73　　　　　　　　定价:20.00 元

前　言

　　上海市郊区水利担负着保障郊区防洪安全和农业丰收、节约农业用水、改善郊区水系景观和保护与修复生态的重要职责与任务。近年来，为适应社会文明日益进步和人们生活日益富足而不断提出的新要求，上海水利人积极探索"保障型、节水型、生态型、景观型"并重的郊区水利现代化建设模式。在治水理念方面，注重突破传统水利建设和管理观念，逐步建立顺应和利用自然的先进发展观；在水利规划方面，注重从"重功能、重环境、重管理"的要求出发，逐步形成"安全、资源、环境"协调发展的治水新格局；在水利建设方面，坚持以郊区河道水环境综合整治、低洼圩区改造配套工程、节水灌溉工程、现代化农业园区及区域水系改造工程和水土保持生态建设为重点，重视引进和消化利用当今国内外的先进理论和技术，努力建设土地产出率、劳动生产率和资源利用率均不断提高，且农民富裕、环境优美，并具有一定国际可比性的都市郊区新水利。

　　通过郊区河道整治，郊区水系面貌已有较大改观，形成了防灾保安(全)与生态景观兼顾的现代化水系雏形；通过低洼圩区建设，防洪除涝标准也有较大提高，人民的生产生活条件得到极大改善；通过建设水利现代化园区，为推进水利灌溉现代化积累了成功经验；通过区域水系改造工程，上海郊区水网南北联通、东西顺畅的格局初步形成，水质低劣现象初步有所好转，从而为实现郊区水利现代化奠定了坚实的基础。

　　在上述水利工程建设与实践中，建设者通过认真研究、积极探索和勤奋思考，结合各自工作实践，撰写了这些蕴含着多年劳动结晶的论文。作者中既有从事多年郊区水利工作的领导、专家，也有很多青年学者与工程技术人员，从不同角度、不同层面总结了近年来上海郊区水利建设中有创新意义的新理论、发展的新技术，同时也根据上海实际，分析和探讨了现代水利的建设思路和发展方向。虽然限于时间与水平，有些认识还有待探讨和商榷，但这本文集的出版，无疑将对今后上海郊区水利的发展提供有益的借鉴和指导，也是本书初衷之所在。

编　者

2005 年 10 月

目 录

综 合 研 究 篇

上海市设施粮田与设施菜田建设
水利技术标准研究

刘晓涛　吴景社　王　晖

（上海市水利排灌管理处,上海 200011）

　　上海市委、市政府计划用三年时间,在上海郊区建设百万亩设施粮田和千公顷高标准设施菜田,以进一步改善上海郊区农田基础设施,提高郊区粮食和蔬菜的综合生产能力。建设内容包括土地平整、农用道路及水利配套设施等。其中水利配套建设分为内部田间水利和外围水利配套两大类。内部田间水利包括田间灌排设施、排灌沟渠及附属建筑物;外围水利配套包括外围水系灌排泵站、引排水河道的疏浚整治以及各类配套建筑物。

　　为保证此项工作的顺利实施与完成,我们开展了设施粮田与设施菜田建设水利技术标准的研究,编制出《上海市设施粮田与设施菜田建设水利技术规范》,以期为工程的设计、施工、验收和管理提供一个统一的技术标准。

1　研究思路与规范内容

　　根据"布局合理,集中连片,因地制宜,与相关工程相衔接,一次规划、分年度推进"等实施原则及工程建设内容,确定规范编制的研究思路为:立足上海农业生产实际,借鉴国家与行业标准及规范,把握规划、设计、施工、验收及运行管理等重要环节,遵循因地制宜、简明实用的原则,使编制的规范广泛适用于新建、扩建或改建的设施粮田和设施菜田水利工程,以求为上海市百万亩设施粮田和千公顷设施菜田的水利建设与管理提供合理、可行、统一的衡量标准,以规范工程的规划、设计、施工与运行管理。

　　据此设置的规范内容包括总则(即目的、意义)、引用标准及规范、工程规划、设计标准、工程施工与设备安装、工程验收与运行管理等七大内容,共74条款。

2　引用标准及规范

　　结合设施粮田和设施菜田建设内容选用了《灌溉与排水工程设计规范》(GB50288—99)、《农田灌溉水质标准》(GB5084—92)、《节水灌溉技术规范》(SL207—98)、《低压管道灌溉工程技术规范(井灌部分)》(SL/T153—95)、《渠道防渗工程技术规范》(SL18—91)、《喷灌工程技术规范》(GBJ85—85)、《微灌工程技术规范》(SL103—95)和《给水排水构筑物施工及验收规定》(GBJ141)等国家标准、规范作为所编规范的依据。鉴于所有标准及规范均会被修订,强调在使用本规范时,应注意使用各标准及规范的最新版本。

3 工程规划与设计标准确定

3.1 工程规划

工程规划是决定工程选址、工程规模、设备选型等合理与否的重要依据。因此,要求在规划阶段首先要详细收集规划区域的工程现状、自然地理、水文气象、水文地质、表层土壤、地形地貌等基本资料;其次要遵循水、田、林、路、居统一规划,水土资源合理利用的原则,兼顾当地农业区划、防洪除涝规划、水景观区划等相关规划或区划的要求,对水源工程、灌排渠系、灌排建筑物、道路、林带、居民点、输电线路、通讯线路、管理设施等进行合理布局,通过技术经济比较及环境评价确定最佳方案;最终要根据自然、经济等条件和因素,因地制宜选择适宜的外围水利工程形式。

结合上海郊区多采用 ZLB350 型水泵的现状,规定设施粮田灌溉泵站控制面积一般不得小于 33 hm²,田块规格一般为 20 m×80 m。针对上海郊区基本为平原河网区,地面水资源较为丰富等特点,建议设施粮田采用低压管道灌溉或衬砌渠道灌溉技术,水稻灌溉鼓励应用"薄、浅、湿、晒"的灌溉制度;设施菜田宜采用大田喷灌技术或温室微灌技术。对单块面积大于 100 hm² 的设施粮田要求分为规划(项目建议书或可行性研究)、设计两个阶段进行,面积小的设施粮田和设施菜田可合为一个(设计)阶段进行。对所做规划要求与道路、供电等系统,以及"三个集中"相结合,并要充分利用已有水利工程设施。灌溉系统和排水系统的布置应协调一致,对有条件的园区要实施灌排分开、高低分开、水旱分开、内外分开,控制内河水位和地下水位。规划成果要求包括规划报告、概算书及工程位置图和工程布置图。

3.2 设计标准

3.2.1 设施粮田设计标准

3.2.1.1 灌溉

鉴于上海市属湿润且水资源丰富地区,设施粮田作物以水稻为主,灌溉保证率

$$p = \frac{m}{n+1} \times 100\%$$

式中:p 为灌溉设计保证率,%,取 95%;m 为按设计灌溉用水量供水的年数,a;n 为计算总年数,a。

水稻灌溉制度结合上海市灌溉中心站(佘山灌溉试验站)和重点站(青浦水利技术推广站)成果,参考相邻地区资料,确定了各生育期水分控制标准。灌区净灌溉用水量、设计灌水率、灌区灌溉水利用系数、渠道设计流量、防渗渠道断面尺寸等按照相关规范,并结合上海实际进行计算或确定。

3.2.1.2 防洪除涝

鉴于上海市属经济发达的河网感潮地区,对防洪除涝要求较高,防洪标准为 50 年一遇,据此确定外河圩堤堤顶设计高程为 4.5 m,堤顶设计宽度为 3 m 左右,内河圩堤堤顶设计高程为 4.2 m,堤顶设计宽度为 2.5 m。

根据上海市政府对百万亩设施粮田建设的高标准要求,以及设施粮田种植均为优质农

作物的实际需求,确定排涝标准为 20 年一遇日降雨 200 mm 24 h 排出不受涝。排涝模数采用平均排除法公式计算,并提供了各区(县)暴雨设计排涝模数参考值。

3.2.1.3 灌排水质

所用灌溉水质应符合《农田灌溉水质标准》(GB5084—92)的规定。作物生育期内,灌溉水温与农田地温之差宜小于 10 ℃。水稻田灌溉水温宜为 15～35 ℃。农田排放水水质必须符合《地面水环境质量标准》(GB3838)和《污水排放标准》(GB8978)的规定。

3.2.1.4 灌排泵站

灌排泵站设计除符合本规范外,还应符合《泵站设计规范》(GB/T50265)。鉴于上海市灌溉提水设备以 ZLB350 型水泵为主,兼有 ZLB300、HW350、HW400 等型号水泵,动力机均为电动机,二者应配套合理,电动机功率备用系数可采用 1.05～1.3,并应对选用的电动机的启动特性进行校验。净扬程高于 3 m 的轴流泵站与混流泵站的装置效率不宜低于 70 %;净扬程低于 3 m 的轴流泵站的装置效率不宜低于 60 %。灌溉泵站站址的确定和总体布置,应根据地形、地质、水源、动力等条件确定,并要满足防洪、防冲、防淤和防污及河道整治等需求。排水泵站的出水口要避免选在淤积严重的河段;有部分自排条件的排水泵站宜与排水闸合建。灌排结合泵站的站址应根据外水内引和内水外排的要求确定,总体布置应紧凑合理,配套涵闸的过流能力必须与泵站抽水能力相适应。泵站前池或进水池应设置拦污栅;虹吸式出水流道驼峰底部应高出出水池的最高运行水位,超高值不应小于 0.1 m。

3.2.2 设施菜田设计标准

设施大田宜采用节水地面灌溉或喷灌,设施温室鼓励优先采用集雨微灌技术。鉴于设施菜田产品均应为优质、高附加值果菜,灌溉设计保证率取 95%。设计参数等参照相关技术手册及规范采用或计算。鉴于喷微灌设备生产企业较多,设备性能良莠不齐,故建议在选择设备时要认真考察,慎重选用信誉良好、设备质量可靠的厂家生产的设备。设施菜田裸地排水标准同设施粮田。温室和大棚的屋面、路面的雨水,一般流积到其周围和道路的两侧,通过排水沟排除。温室和大棚栽培地(床)内建议采用暗渠(管)排除渍水,以降低地下水位。大田灌排水质要求同设施粮田,采用微灌等灌溉方式的灌溉水质除必须符合《农田灌溉水质标准》(GB5084)的规定外,还应满足以下条件:对进入微灌管网的水需经过净化处理,不应含有泥沙、杂草、鱼卵、藻类等物质;水质的 pH 值一般应在 5.5～8.0 范围内;水的总含盐量不应大于 2 000 mg/kg;水的含铁量不应大于 0.4 mg/kg;水的总硫化物含量不应大于 0.2 mg/kg。

3.3 工程施工与设备安装

为保证设施粮田和设施菜田工程质量,要求工程要按已批准的设计进行施工与设备安装;不得自行修改设计或更换材料设备。确需修改设计时应征得设计部门同意,经协商一致后方可实施,必要时需经主管部门审批。并要求施工单位在施工中应严格按照有关技术规程进行,并做好施工记录,隐蔽工程必须经验收合格后方能进入下道工序等规定。

3.4 工程验收

由于设施粮田和设施菜田水利工程种类及采用设备规格繁多,故区别工程特性分为单项工程验收与总体工程验收。为便于量化评价,设计了专用评分表格,以提高评价的客观性。

4 结语

鉴于农田水利工程涉及水利、农业,跨行业建设与管理,制定本规范时,进行了相关调研,并征求了部分郊县的水务管理部门和农委的相关意见和建议。由于这项工作量广面大,初稿中难免有不足之处,敬请有关专家领导提出宝贵意见和建议,以便加以修改完善。

参 考 文 献

[1] 水利部.灌溉与排水工程设计规范(GB50288—99).北京:中国水利水电出版社,1999

[2] 水利部.农田灌溉水质标准(GB5084—92).北京:水利电力出版社,1992

[3] 水利部.节水灌溉技术规范(SL207—98).北京:中国水利水电出版社,1998

[4] 水利部.低压管道灌溉工程技术规范(井灌部分)(SL/T153—95).北京:中国水利水电出版社,1995

[5] 水利部.渠道防渗工程技术规范(SL18—91).北京:水利电力出版社,1991

[6] 水利部.喷灌工程技术规范(GBJ85—85).北京:水利电力出版社,1985

[7] 水利部.微灌工程技术规范(SL103—95).北京:中国水利水电出版社,1995

[8] 水利部.给水排水构筑物施工及验收规范(GBJ141).北京:水利电力出版社,1992

[9] 水利部.灌溉管理手册.北京:水利电力出版社,1987

论生态水利与崇明生态岛建设

桑保良[1] 陈 松[2] 刘静森[1] 黄海雷[1]

(1.上海市水利排灌管理处,上海 200011;
2.崇明县水利排灌管理所,上海 202150)

崇明岛地处长江口,是我国第三大岛,也是我国现今河口沙洲中最大的一个河口沙岛。崇明岛东西长约 78 km,南北宽 13~18 km,形似卧蚕,总面积约 1 200 km²,约占上海市总面积的 1/6。崇明岛是 21 世纪上海发展的战略重地,国务院和上海市委、市政府已明确崇明建设生态岛的定位,确立了到 2020 年将崇明岛建成"人类生态环境与生态活动的示范岛区"的总体目标。

崇明岛三面环江,东临东海。岛内河道密布,纵横交错,水面率较高,按照崇明岛水利总体规划,将构建"1 环、5 湖、29 竖、27 闸"的骨干水系框架,全岛拥有市(县)级骨干河道长度达 567.2 km,加上 447 条乡(镇、农场)级河道、639 条村级引水河和 1 万余条泯沟,可谓河网密布,有一定的调蓄能力。这些河道担负着全岛引水、排涝、城乡居民生活用水及工农业用水的重任。水是自然的重要要素之一,是世界万物的生命线,对社会存在的每一件事物都有着深刻的影响,水多、水咸、水浑等水问题一直困扰着崇明岛经济社会的发展。随着崇明生态岛建设步伐的加快,水利发展成为广为关注的热点问题,生态水利的发展必将成为崇明生态岛建设的重要组成部分。

1 生态水利及其功能

1.1 生态水利的概念

随着城市经济的发展,水资源短缺、水体污染、水域空间缩小、植被破坏、水土流失、水生态恶化等各种水环境问题的相继出现,在对传统水利存在的问题进行了深刻反思后,逐步提出了由工程水利向资源水利最终向生态水利转变。

由于生态水利还是一个全新的领域,涉及生态学和水利学,在我国还没有一个统一的定义。笔者认为:生态水利就是指在传统水利的基础上,用大生态的理念、保护生态平衡的思路来治水,充分尊重和利用水的自然规律保护水环境,遵循整体、系统、普遍联系、相互协调、循环转化、互补互利、局部与整体、长远与近期、多样化与系统化的生态学原理和方法,因地制宜利用高新技术,实现水利的公平和高效发展,使水环境与经济社会发展相协调。

1.2 生态水利的内涵特征

生态水利是围绕生态建设而开展的水利工作,用生态的观点贯穿水利规划、设计、管理和建设全过程,具有以下 6 个方面与传统水利不同的内涵特征:

(1)生态水利发展模式及途径与传统水利发展模式及途径对水的利用有本质的区别,生态水利更注重水利工程生态环境与景观的修复,改善与保护水的应用,更注重水利工程调度运行方式改变后在水污染防治中的作用;

(2)生态水利的开发利用是在人口、资源、环境和经济协调发展战略下进行的,水资源的

开发利用是在保护生态环境的同时,促进经济增长和社会的繁荣;

(3)生态水利要用生态学的基本观点来指导水利规划、设计、建设和管理;

(4)生态水利的目标要满足世世代代人类用水需求,体现人类共享环境、资源、经济效益和社会效益的公平原则;

(5)生态水利实施遵循生态学的原理,应用系统的方法和高新技术,实现水利的公平和高效发展;

(6)水利工程的优化目标为生态效益、经济效益和社会效益最优。

1.3　生态水利的功能

生态水利具有复合性功能,具有以下主要功能:

(1)安全功能。水利是一项基础设施和基础性工作,其基本作用在于为经济和社会发展提供支撑和保障,其中首要的也是最基本的就是解决水安全问题,生态水利的内涵包括了传统工程水利"修建水利工程控制消除水害,满足人类需求"的内容,并吸收融合生态学的理论,以人与自然和谐相处的指导思想开展相关的规划、设计、建设和管理,以流域为基础统筹兼顾、综合考虑,从防洪除涝、供水、水量、水土保持和水生态等多方面综合考虑,确保饮用水安全、工农业生产用水安全、经济发展用水和生态环境用水的安全,从而保障经济社会的可持续发展。

(2)生态功能。水是生态环境的控制性要素,生态水利不仅满足人们对水需求的基础工程,也有利于改善和恢复健全的生态系统工程,更有利于环境保护的可持续发展工程。维系良好的生态环境将成为水利工程建设的重要目标,比如河流湖泊治理的目标是既要开发河湖的功能性,也要保护河流生态系统的完整性,遵循生物群落多样性与生物多样性相统一原则。生态水利的发展可提供和创造多纬度的生态空间。

(3)生活功能。生态水利的生活功能包含社会文化功能和休闲观光功能,具体体现在利用纵横交错的河湖网络,发展生态养殖,提供垂钓休闲型旅游,又可以利用宽广的水面发展水上娱乐项目,欣赏水天一色、万鸟齐飞、千帆竞发的壮观景色,通过水系景观廊道、水利公园等为人们提供休闲、观光、娱乐园地,让人们接触、体验水文化,陶冶情操。

2　生态岛的概念与特征

2.1　生态岛的概念

生态岛的概念来源于"生态城市","生态城市"是在联合国教科文组织 1971 年发起的"人与生物圈(MAB)"计划研究过程中提出的一个概念。它的概念和内涵随着社会和科技的发展,不断得到充实和完善。生态城市现已超越了保护环境即城市建设与环境保持协调的层次,融合了社会、文化、历史、经济等因素,向更加全面的方向发展,体现的是一种广义的生态观。目前比较主流的观点认为:生态城市是社会、经济、自然的复合统一体。

岛屿作为人类聚居的一个特殊场所,从地域空间角度看,是一个相对封闭、城乡融合的一个区域。笔者认为,所谓生态岛就是运用生态学原理和方法,指导全岛发展而建立的空间布局合理,基础设施完善,环境整洁优美,生活安全舒适,物质、能量、信息高效利用,经济发达、社会进步、自然生态保护三者保持高度和谐,人与自然互惠共生的复合生态系统。

2.2　生态岛的特征

生态城市与传统城市相比,有本质的区别,主要表现在如下几个方面:

（1）和谐性。生态岛的和谐性不仅反映在人与自然的关系上，更重要的是反映在人与人关系上。生态岛不是一个用自然绿色点缀而僵死的人居环境，而是营造满足人类自身文化需求、文化气息浓郁，富有生机与活力的生态环境。文化是生态岛最重要的功能，富有崇明岛特色的文化个性和文化魅力是生态岛的灵魂。

（2）高效性。生态岛一改现代城市"高能耗"、"非循环"的运行机制，提高一切资源的利用效率，物尽其用，地尽其利，人尽其才，各施其能，各得其所，物质、能量得到多层次分级利用，废弃物可循环再生，各行业、各部门之间的共生关系协调。

（3）持续性。生态岛是以可持续发展思想为指导的，兼顾不同时间、空间，合理配置资源，公平地满足现代与后代在发展和环境方面的需要，不因眼前的利益而用"掠夺"的方式促进暂时的"繁荣"，保证其发展的健康、持续、协调。

（4）整体性。生态岛不是单单追求环境优美或自身的繁荣，而是兼顾社会、经济和环境三者的整体效益，在整体协调的新秩序下寻求发展。生态岛建设不仅重视经济发展与生态环境协调，更注重对人类生活质量的提高。

（5）区域性。岛屿具有相对的独立性，但岛屿内既有城镇又有乡村，城乡之间是相互联系、相互制约的，只有平衡协调发展的区域才有可能发展成平衡协调的生态岛。因此，生态岛是建立在区域平衡发展基础之上的，表现出明显的区域特征。

3 发展生态水利与建设生态岛的互动关系

从上述对生态水利和生态岛概念、内涵的分析中可以看出，两者都包含着追求"可持续发展"的核心思想。"生态"是两者的交叉点，发展生态岛离不开生态水利的发展，生态岛的建设也必将促进生态水利的发展。可以说两者是相互促进、相互依存的，具体表现在以下几个方面。

3.1 生态水利形成水生态景观，是生态岛的重要标志

生态水利不仅为生态岛提供充足的水量和优质的水源，保障全岛经济社会的可持续发展，同时，通过水生态修复，形成水景观，开发水利旅游景点，可以改善岛屿生态气候，提升崇明岛的品位。崇明岛四面环水，岛内河湖密布，既有丰富的淡水资源，又有丰富的咸水资源，更有大量的滩涂湿地资源，鸟类、鱼类、水生植物等生物资源遍布全岛，形成"1环、5湖29竖"的骨干河网格局，"林溪间杂"的生态水环境将成为崇明生态岛的标志性特征。

3.2 生态水利设施是生态岛建成"海上花园"的重要基础

按照崇明生态岛建设的总体规划，全岛将建成世界一流的"海上花园"，整个岛域总体布局将形成五大功能分区，即以休闲度假和教育研创为主的崇中中央森林区；以生态示范、休闲运动和国际交流为主的崇东门户景观区；以国际会议、滨海度假为主的崇西景湖会展区；以世界级主题乐园和生态农业为主的崇北乐园区；作为全岛人口和产业集中的田园式崇南新城区。生态岛建设是一项巨大的系统工程，涉及到经济社会的方方面面，如工业、能源、交通、建筑、绿化、通讯、文教、环保、医疗、宣传等。水利是重要的基础设施之一，五大功能分区均离不开水，因此促进传统水利向生态水利的转变，促进全岛生态环境向绿化、净化、美化、活化的可持续的生态系统转变，留足湿地、河湖、森林等自然生态涵养空间，是生态岛建设的重要基础。

3.3 发展生态水利是崇明生态岛"五大产业"发展的重要支撑

生态岛的建设将逐步构筑以生态资源为依托的绿色生态产业体系,包括保护基本农田、稳定粮食生产在内的生态农业、观光农业、设施农业;包括绿色食品加工、环境良好的指向性高科技产业在内的清洁性先进工业;包括世界主题乐园在内的度假旅游和户外运动产业;贴近大自然的现代办公、会展、科研产业;生态型房地产业。

充足的洁净水源是绿色生态产业体系发展的基础,生态农业和绿色食品加工业需要优质水源作为保证,旅游、生态房地产业离不开生态水体,生态水利的发展,通过水景观的营造,让人们亲近水、接触水,从而达到人与自然的和谐相处,促进生态岛"五大产业"的发展。

3.4 生态岛建设为发展生态水利提供了契机

崇明岛具有"水净、土净、气净"的自然优势,崇明建设生态岛定位的明确,为崇明的生态环境建设指明了方向,各级各部门将更加重视包括水环境在内的生态环境建设,将提高各级领导和人民群众对水利在全岛经济社会发展中基础地位的认识,将在建设资金的投入、各类生态技术的应用推广和各类人才的培养使用上给予更多的关注,为生态水利的发展奠定一定的基础。

4 生态岛建设中生态水利发展的思路

生态水利的发展要从生态岛可持续发展战略高度出发,要全面规划、统筹兼顾、综合开发,妥善处理安全、资源、环境、生态、景观的关系,应着重从以下几个方面考虑。

4.1 较好的防洪安全、完善的排涝设施是生态岛建设的基本保障

崇明岛拥有环岛一线大堤 230 km,沿线水闸 27 座,配以"1 环、5 湖、29 竖"的骨干河道及众多的乡村河道,构成了较为完善的防洪挡潮引排体系。但还存在着堤防设防标准偏低、水闸设施老化、河道淤浅严重等主要问题,围绕生态岛建设,要加快水闸改造、生态大堤建设、河道疏拓等建设力度,提高全岛防洪挡潮能力,改善引排水条件,同时建设水资源调度中心,建设水闸自动化监控系统和调度平台,实现智能化调度,提高现代化管理水平。

4.2 充分而清洁的水源是生态岛生存和发展的条件

独特的地理环境造成崇明岛海潮倒灌越来越严重,大部分地区长期处于咸潮包围之中,加上水系不畅,致使崇明岛水质咸度增大,水中氯化物含量较高,给全岛居民用水、工农业用水和生态用水造成严重影响。淡水资源的开发、利用和保护是崇明生态水利发展必须考虑的重点,近期要重点对作为水源地的南横引河进行整治和保护,采取多种措施确保全岛的淡水供应,同时要根据生态岛的规划定位,尽快组织专家开展岛屿战略水源地的研究,对规划利用目前已围垦的东风西沙与崇明岛南岸之间的新桥水道上口的断头槽建设水库型水源地进行论证,确保全岛的淡水资源供应走可持续的良性循环之路。

4.3 营造良好的水生态是生态水利建设的重点

一是要结合生态岛林业建设,大力推进河道绿化建设。按照生态岛建设总体规划,全岛的绿化率要达到 55%,应将河网绿化纳入到林业建设中,一方面可充分利用河网两侧土地,既提高绿化率又减少林地占用其他用地的面积;另一方面河道两侧平台绿化可有效降低降雨动能,减少降雨对河道边坡的冲刷,防止水土流失,可谓一举两得。水务部门应将"1 堤、1 环、29 竖、成网"的河网绿化框架纳入岛屿绿化总体规划,根据河道长度及绿化带控制宽度初步测算,通过河网绿化建设可增加绿化面积 50 km² 左右,全岛的绿化率可增长 4~5 个百

分点，为生态岛绿化率阶段性目标的实现创造基础。

二是要因地制宜，积极探索河道边坡生态治理模式。随着长江隧桥的开工建设，可以预见，崇明岛的内河航运将逐步减少，针对航运船行波是造成崇明河道岸坡坍塌的主要原因这一特点，建议与航务部门沟通协调，将29条竖河进行分类，确定各自的航运功能和等级，可以按照网格化的布局，将1/3的河段作为通航河道，并逐步减少，其余河段禁止通航，以减少船行波的冲刷。在此基础上分门别类地确定护岸整治的形式，建议分以下几种类型探索生态护坡建设：一是对于通航河道或因两岸开发条件限制的地段，可考虑采用结构工程进行护岸，应尽量降低结构工程的顶部高程，尽量采用结构加生物护坡的复合断面形式，并探索多孔型、自然型绿色混凝土等新材料的使用，既防止水土流失，又符合生态原则；二是对不通航的河段，在两侧平台绿化的基础上，尽量采用自然生态型为主的护岸形式，以植物软覆盖为主，在已冲刷坍塌的水位变幅段可探索采用防冲刷措施，以减少引排流量较大时的岸坡坍塌；三是对面广量大的中小河道和浜沟的整治，主要采用生态修复、自然土坡为主，并重点抓好长效管理，达到生态环境保护的目的。

4.4 强化全覆盖的生态水利管理

由于历史原因，崇明岛的行政区域比较复杂。全岛总面积的20%以上的区域不属于崇明县管辖，岛上有江苏省部分的乡镇、有上海实业(集团)有限公司和上海农工商(集团)有限公司等市属公司以及地产集团所属围垦的区域，还有部队用地。因此，海塘江堤、水闸、河道水系多头管理，这种复杂的行政管理划分常常导致各单位之间利益和管理上的冲突，破坏了水利整体性的特征，极不利于水资源的统一调度和水生态环境的保护。

崇明县水务局作为全岛的水行政主管部门，必须树立全岛水利一盘棋的大水利观念，协调各方，加强水资源的统一开发、利用和管理。首先，在规划上要按照生态岛五大功能分区和五个主导产业的布局，在挡潮排涝设施布局、淡水资源的配置、污水处理设施布局等方面统筹考虑整个岛屿范围的合理布局；其次，在建设上要充分调动县域外单位的积极性，多层次、多渠道、多元化筹集建设资金，按照全岛统一的建设标准推进各项水利基础设施建设，构建覆盖全岛的现代化水利格局；第三，在水管理上，尤其是在河道长效管理方面要按照《中华人民共和国河道管理条例》的规定，统一管理，统一调度，切实保护好全岛水环境。

参 考 文 献

[1] 孙宗凤,等.生态水利的哲学思考及其研究框架.水利发展研究,2003(12)

[2] 高殿瀛,等.生态城市初探.中国可持续发展,2001(5)

[3] 桑保良.营造上海城市水文化的思考.见:上海郊区水利现代化探索与实践.北京:气象出版社,2005

设施粮田和设施菜田水利工程
施工技术指南研究

王　晖　桑保良　吴景社　吴旭云

（上海市水利排灌管理处，上海 200011）

上海市委、市政府计划用三年时间，在上海郊区建设百万亩设施粮田和千公顷高标准设施菜田，以进一步改善上海郊区农田基础设施，提高郊区粮食和蔬菜的综合生产能力。建设内容包括土地平整、农用道路及水利配套设施等。其中水利配套建设分为内部田间水利和外围水利配套两大类。内部田间水利包括田间灌排设施、排灌沟渠及附属建筑物；外围水利配套包括外围水系灌排泵站、引排水河道的疏浚整治以及各类配套建筑物。

为了保证工程施工质量，并配合《上海市设施粮田与设施菜田建设水利技术规范》的实施，我们开展了设施粮田和设施菜田水利工程技术指南的研究，编制了《上海市设施粮田和设施菜田水利工程施工技术指南》（以下简称《指南》）。该《指南》包括一般要求、混凝土建筑物及防渗渠道工程施工技术要求、管道输水工程施工技术要求、喷灌工程施工技术要求、微灌工程施工技术要求和地面灌溉工程的施工等六项内容。

1　研究思路与规范内容

根据"布局合理，集中连片，因地制宜，与相关工程相衔接，一次规划、分年度推进"等实施原则及工程建设内容，确定规范编制的研究思路为：立足上海农业生产实际，借鉴国家与行业标准、规范、技术手册及指南等，把握施工中的重要环节，遵循因地制宜、简明实用原则，使编制的技术指南广泛适用于新建、扩建或改建的设施粮田和设施菜田水利工程，以求为上海市百万亩设施粮田和千公顷设施菜田的水利工程建设提供一个较为科学、规范的指导，以保障工程质量，使其充分发挥效益。

2　研究内容

根据设施粮田和设施菜田水利工程建设内容与工程特点等，有针对性地对全《指南》的六项内容进行了研究。在一般要求中强调了施工前的准备和施工的技术依据；在混凝土建筑物及防渗渠道施工技术要求中严格规范了渠槽断面、断面尺寸及防渗层厚度等要素的允许偏差值；在管道输水工程施工技术要求中对系统管线的布置、基槽开挖、管道系统安装技术细节和步骤、建筑物施工及试水回填等均提出了详尽要求；在喷灌工程施工技术要求中，针对喷灌相对地面灌溉技术含量较高，且系统为压力管道系统，设备也较为复杂等特点，从水源工程、泵站、管网施工，直到设备安装调试及水压试验等都进行了详尽分解，提出了具体要求；在微灌工程施工技术要求中，针对微灌属局部灌溉，灌水器出水量小，对水源水质要求高等特点，强调对首部枢纽、管网布设、设备安装及管道冲洗等各环节的施工要求。

2.1　一般要求

本节包括施工前的准备和施工技术依据两部分。在施工前的准备中对施工计划编制作了详细要求,包括建立施工组织,确定分管人员;拟订放样、定线各项施工顺序;编制工种劳力组合及全部工程所需劳力计划;编制工程材料、设备供应计划;明确施工进度、检查质量的方法和有关措施;制定安全保障措施。并要求施工单位要全面了解和熟悉工程的设计文件,认真核对有关设计参数,不清楚或有异议的应在开工前向设计部门提出,以便取得共识,并按批准的设计进行施工安装。在施工过程中要认真检查,消除安全隐患,确保施工安全。当工程施工涉及的工种较多时,须按照工序有组织、有计划地施工。在施工的技术依据中,根据设施粮田和设施菜田水利工程施工属农田水利工程范畴,要求设计依据为《上海市设施粮田与设施菜田建设水利技术规范》及其引用的相应国家标准或水利行业标准。

2.2 混凝土建筑物及防渗渠道工程施工技术要求

在本节中对施工组织设计、测量放线、基坑开挖、防渗、钢筋的加工、接头、安装模板及竣工养护等进行了规范性说明与要求。结合上海地区属暖温带等地区特征,提出了较为适合当地的防渗渠道断面尺寸和防渗层尺寸的允许偏差值(见表1)。

表1　防渗渠道断面尺寸和防渗层尺寸的允许偏差值

项　　目		允许偏差值
渠底高程		±(1～2)cm
渠道中心线		±(1～2)cm
渠底宽度		+(2～3)cm
断面上口宽度		+(3～4)cm
平整度		±(1～2)cm
边坡防渗层斜长度		±(1～2)cm
现浇施工、渠坡、渠底防渗层纵向分块长度		±(0.5～0.6)cm
现浇施工、渠坡、渠底防渗层横向分块长度		+(3～5)cm
预制板两对角线长度差值		±0.7cm
防渗层厚度	现场浇筑施工	±5%
	预制铺砌施工	±(5%～7%)

2.3 管道输水工程施工技术要求

本节包括施工准备、管槽开挖、管道系统安装、建筑物施工、设备安装与试水等内容。针对上海市地埋暗管多为混凝土干管的现状,进行了相关调研,提出了预制管安装过程中各个环节必须注意的问题及技术要求。如在地下水位较高地区必须准备排水设备;施工期应注意避开雨季;管道系统的所有建筑物都必须按设计要求施工;建筑物的地基应坚实,必要时应进行夯实或铺设垫层;出地竖管的底部和顶部应采取加固措施;管道穿越道路或其他建筑物时,应增设套管等加固措施。由于暗管为隐蔽工程,一旦因施工疏忽出现漏水等问题,不仅查找原因困难,而且返修也非常麻烦,因此必须把好施工过程关,同时还要注意必须经试压合格后,方可交付使用单位。

2.4 喷灌工程施工技术要求

鉴于喷灌工程技术要求相对较高,强调喷灌工程施工、安装应按已批准的设计进行,修改设计或更换材料设备应经设计部门同意,必要时需经主管部门批准。并对施工放样、基坑开挖、基坑排水、基础处理、建筑物砌筑、堆土回填等环节及隐蔽工程的验收、设备安装调试等均做了明确说明。同时针对喷灌系统为有压系统的特点,强调施工安装期间应对管道进行分段水压试验,施工安装结束后应进行管网水压试验。试验结束后,均应编写水压试验报告。对于较小的工程可不做分段水压试验。在耐水压试验保压 10 min 期间,如压力下降大于 0.05 MPa 时,要进行渗水量试验。试验时应先充水,排净空气,然后缓慢升压至试验压力,立即关闭进水阀门,记录下降 0.1 MPa 压力所需的时间 T_1(min);再将水压升至试验压力,关闭进水阀并立即开启放水阀,往量水器中放水,记录下降 0.1 MPa 压力所需的时间 T_2(min),测量在 T_2 时间内的放水量 W(L),按式(1)计算实际渗水量;允许渗水量按式(2)计算。实际渗水量小于允许渗水量即为合格;实际渗水量大于允许渗水量时,应修补后重测,直至合格为止。

$$q_s = \frac{W}{T_1 - T_2} \times \frac{1\,000}{L} \tag{1}$$

式中:q_s 为 1 000 m 长管道实际渗量,L/min;L 为试验管段长度,m。

$$[q_s] = K_s \sqrt{d} \tag{2}$$

式中:$[q_s]$ 为 1 000 m 长管道允许渗水量,L/min;K_s 为渗水系数,钢管渗水系数取 0.05,硬聚氯乙烯管、聚丙烯管取 0.08,铸铁管取 0.10,聚乙烯管取 0.12,钢筋混凝土管、钢丝网水泥管取 0.14;d 为管道内径,mm。

2.5 微灌工程施工技术要求

微灌工程较为复杂,要求施工方必须严格按设计进行施工。施工前应检查图纸、文件是否齐全,并核对设计是否与灌区地形、水源、作物种植及首部枢纽位置等相符。施工开始后,首先要根据设计图纸测量管线纵断面,从首部枢纽开始放线,定出建筑物主轴线、机房轮廓线及干支管进水口位置,用经纬仪从干管出水口引出干管轴线后再放支管线,并标明各建筑物设计标高。主干管直线段宜每隔 30 m 设一标桩;分水、转弯、变径处应加设标桩;地形起伏变化较大地段,宜根据地形条件适当增设标桩。在首部枢纽控制室内,应标出机泵及专用设备(如化肥罐、过滤器等安装位置)。水源工程施工按《给水排水构筑物施工及验收规范》(GB141)有关规定执行;水处理建筑物施工按《室外给水工程技术规范》(GBJ13)有关规定执行。管网与设备安装要严格按有关说明书及相应的技术指南等进行规范化施工。由于首部枢纽是微灌系统的核心,因此对其过滤器、施肥罐、施药罐及各种计量的安装及管道冲洗等均提出了较为详尽的要求。对试运行过程中可能出现的渗水、漏水、破裂、脱落等现象,要做好记录并及时处理,处理后再进行试运行,直到合格为止。对管道允许最大渗漏水量要求按式(2)计算。有条件的地方在试运行前应进行水压试验,水压力不应小于管道设计压力的1.25 倍,并保持稳定 10 min。其他要求同时运行。

2.6 地面灌溉工程的施工

地面灌溉工程施工虽较喷灌和微灌等灌水方式简单,但由于其仍占整个工程量的相当部分,故仍做了较为详尽的研究,提出了较为符合上海实际需求的施工方案与要求。内容包括土地平整、畦田的施工技术要素等。

参 考 文 献

[1] 水利部.灌溉与排水工程设计规范(GB50288—99).北京:中国水利水电出版社,1999

［2］水利部.农田灌溉水质标准(GB5084—92).北京:水利电力出版社,1992

［3］水利部.节水灌溉技术规范(SL207—98).北京:中国水利水电出版社,1998

［4］水利部.低压管道灌溉工程技术规范(井灌部分)(SL/T153—95).北京:中国水利水电出版社,1995

［5］水利部.渠道防渗工程技术规范(SL18—91).北京:水利电力出版社,1991

［6］水利部.喷灌工程技术规范(GBJ85—85).北京:水利电力出版社,1985

［7］水利部.微灌工程技术规范(SL103—95).北京:中国水利水电出版社,1995

［8］水利部.给水排水构筑物施工及验收规范(GBJ141).北京:水利电力出版社,1992

［9］水利部.灌溉管理手册.北京:水利电力出版社,1987

设施粮田和设施菜田水利工程建设
材料与设备现场验收指南研究

高昊旻 吴旭云 桑保良 吴景社

(上海市水利排灌管理处,上海 200011)

为配合上海市委、市政府在上海郊区建设百万亩设施粮田和千公顷高标准设施菜田项目的实施,保证选用设备及工程质量,并配合《上海市设施粮田与设施菜田建设水利技术规范》的实施,开展了设施粮田和设施菜田水利工程建设材料设备现场验收指南的研究,研究包括验收的一般要求、机电设备的技术要求及现场验收方法、渠道防渗材料的技术要求及现场验收方法、管道输水材料设备的技术要求及现场验收方法、喷灌设备的技术要求及现场验收方法、微灌设备的技术要求及现场验收方法等六项内容。最终结合研究结果编制了《上海市设施粮田和设施菜田水利工程建设材料设备现场验收指南》(以下简称《指南》)。

1 研究思路与规范内容

根据"布局合理,集中连片,因地制宜,与相关工程相衔接,一次规划、分年度推进"等实施原则及工程建设内容,确定规范编制的研究思路为:立足上海农业生产实际,借鉴国家与行业标准、规范、技术手册及指南等,把握施工中各重要环节,遵循因地制宜、简明实用原则,使编制的技术指南广泛适用于新建、扩建或改建的设施粮田和设施菜田水利工程,以求为上海市百万亩设施粮田和千公顷设施菜田的水利工程建设提供一个较为科学、规范的指导,以保障工程质量,使其充分发挥效益。

2 研究内容

根据设施粮田和设施菜田水利工程建设内容与工程特点等,对全指南的六项内容进行了有针对性的研究。在一般要求中强调了施工前的准备和施工的技术依据;在混凝土建筑物及防渗渠道施工技术要求中严格规范了渠槽断面、断面尺寸及防渗层厚度等要素的允许偏差值;在管道输水工程技术要求中对系统管线的布置、基槽开挖、管道系统安装技术细节和步骤、建筑物施工及试水回填等均提出了详尽要求;在喷灌工程施工技术要求中,针对喷灌相对地面灌溉技术含量较高,且系统为压力管道系统,设备也较为复杂等特点,从水源工程、泵站、管网施工,直到设备安装调试及水压试验等都进行了详尽分解,提出了具体要求;在微灌工程施工技术要求中,针对微灌属局部灌溉,灌水器出水量小,对水源水质要求高的特点,强调了对首部枢纽、管网布设、设备安装及管道冲洗等各环节的施工要求。

2.1 机电设备的现场验收方法

设施粮田和设施菜田的水利机电设备主要包括灌排系统枢纽(泵房)中的水泵、电动机及相应附属设施。由于上海为感潮河网地区,不仅灌溉系统单元小,水源水位变幅也小,故系统规模与水泵扬程也较小。作为低扬程泵,在有关方面的努力下,无论是装置能量性能还是装置气蚀性能都达到了新的水平，一般正规厂家产品均能满足排灌要求。故对型号和厂家未作要求，但鉴于其在系统中的重要性，故在水泵技术要求与现场验收中提出了外观与性能两方面的要求。主要包括外观结构检查、水压试验、性能检测、运行检查、外形尺寸检查和表面喷涂检查等。

目前电动机生产企业和型号众多，建议选用时宜根据电源容量大小和电压等级、水泵的轴功率和转速及传动方式等条件来确定所需要的电动机的类型、容量、电压和转速等工作参数。现场验收首先应从总体上确定能否按额定参数要求安全运行，包括观测电动机的绝缘性能下降程度，运行中振动、噪声、温升、发热的情况，主要部件的磨损、变形、锈蚀、破损程度等。现场检测应按《电气装置安装工程电气设备交接试验标准》（GB50150—91）、《发电机定子绕组环氧粉云母绝缘老化鉴定导则》（DL/T492—92）、《电力设备预防性试验规程》（DL/T596—1996）中有关标准执行。

电气设备现场验收包括观测电气设备的绝缘性能下降程度，运行中是否有泄漏、温升、发热的情况，有否异常声音，主要部件的锈蚀、缺损程度等。现场检测应按《电气装置安装工程电气设备交接试验标准》（GB50150—91）、《电力设备预防性试验规程》（DL/T596—1996）、《泵站设计规范》（GB/T50265—97）中的有关规定执行。

泵站辅助设备验收包括观测辅机性能下降程度，运行中有否异常声音，主要部件的锈蚀、缺损程度等。具体项目应按《泵站技术管理规程》（SL255—2000）、《泵站技术规范——安装分册》（SD204—86）、《泵站技术规范——验收分册》（SD204—86）和《泵站设计规范》（GB/T50265—97）中有关标准执行。

金属结构现场验收应参照《水工钢闸门和启闭机安全检测技术规程》（SL101—94）、《水利水电工程金属结构报废标准》（SL226—98）、《钢结构检测评定及加固技术规程》（YB9257—96）和《钢结构工程质量检验评定标准》（GB50221）中的有关规定执行，包括主要部件是否存在变形、裂纹、折断、锈蚀、缺损程度等。

采用计算机监控的泵站还应对计算机监控系统进行现场验收。验收主要应从总体上确定能否按设计要求满足自动监控的需要，能否操作方便并具有一定的先进性。系统软件应满足泵站自动化监控和信息化发展的要求。

2.2 渠道防渗材料的现场验收方法

目前上海郊区渠道防渗形式主要有梯形断面和 U 形断面两种形式，防渗材料主要为水泥和骨料。对材料进行现场验收是保证渠道防渗效果的关键。故《指南》从选用水泥、骨料及混凝土强度都作了详细规定。选用的水泥标号应与混凝土设计强度等级相适应，用于勾缝的砂浆宜采用 325 号、425 号的普通硅酸盐水泥。砂料要求质地坚硬、清洁、级配良好，细度模数宜为 2.4～2.8。石料应坚硬、无裂纹、洁净和级配良好。最大粒径不得大于混凝土板厚度的 1/3～1/2，抗压强度大于混凝土强度 1.5 倍。上海属温暖地区，当没有合格的粗骨料时，允许选用抗压强度大于 10.0 MPa 的石料。拌制抗压强度为 7.5～10.0 MPa 的混凝土，若需采用含有活性成分、黄锈等的粗骨料时，必须通过专门试验论证。对于混凝土要求设计标号不得低于表 1 中的数值。

表1　上海地区所用混凝土标号的最小允许值

渠道设计流量(m³/s)	标号种类		温和地区($T > -3℃$)
<2	强度(C)		7.5
	抗渗(S)		2
2~20	强度(C)		7.5
	抗冻(D)		25
	抗渗(S)		4

注:①强度标号的单位为MPa;②抗冻标号的单位为冻融循环次数;③抗渗标号的单位为0.1 MPa;④T为最冷月月平均气温。

2.3　管道输水材料设备的现场验收方法

针对上海市农田输水管道多为水泥预制管的现状,主要强调了对这种管材和连接件的验收办法。对管道输水所用管材与连接管件进行现场验收要求符合如下规定:①非现场制作的管材与连接件应为定型产品,或经过技术鉴定并严格按技术要求生产的非定型产品。②现场制作的管材与连接件,应进行技术鉴定,并有相应措施保证其质量不低于鉴定时的指标。③管材的公称压力应大于或等于管道的设计工作压力。④连接件的公称压力应大于或等于管材的公称压力,其规格尺寸及偏差应满足连接密封要求。此外,还要看其管壁是否均匀,壁厚误差是否小于5%,以及内壁光滑与否,内外壁有无可见裂缝等。

在管道输水灌溉工程中,钢管常用于水泵的进出水管、阀件连接段等。钢管分为焊接型钢管和无缝钢管。其中,焊接型钢管用于输送低压流体,管材直径较小,长度一般为4~10 m。现场验收主要检查管件配套是否齐全,连接是否方便可靠。钢管连接包括焊接、法兰连接和螺纹连接。一般公称直径小于50 mm者可采用螺纹连接,有相应的连接管件可供选用;对公称直径大于50 mm者为了与水表、闸阀等管件连接,可采用法兰连接。

2.4　喷灌设备的现场验收方法

喷灌系统包括首部枢纽、管道系统及喷头等。经过几十年发展与推广应用,国产喷灌设备性能已基本过关。但由于受成本、适用范围、生产规模等因素影响,喷灌生产成本较地面灌溉设备明显偏大,一些企业为降低成本,在材料、工艺等方面存在明显问题,致使产品质量参差不齐,因此在验收时更应严格把关。

对于枢纽中的喷灌泵、过滤器、控制系统和喷头等较为复杂的零部件,要求验收人员首先要认真阅读使用说明书,熟悉各种设备的特点、性能(最优工作压力范围和标定射程等)和使用注意事项,然后逐一试压、试水或检查。对于喷头检查内容包括转动部分及扇形机构应动作灵活,换向可靠,部件齐全,连接牢固,喷嘴规格无误,弹簧松紧适度,流道通畅。条件允许情况下,可在工作压力下进行抽样或逐个试喷,观察射程、转速、雾化程度和水量分布等是否符合设计要求,并考核转动机构及扇形机构工作的可靠性,注意转动部分是否有漏水现象。

对喷灌用塑料管材及管件,由于受现场验收条件限制,难以对其性能进行专业测试。但根据《给水用硬聚氯乙烯(PVC-U)管材》(GB/T10002.1—1996)标准,通过对管材的外观、平均外径和偏差、壁厚和偏差等项目的检查,也基本可以达到控制质量的要求。同时应索取产品说明书、合格证等,以便发现问题后找销售商或供货商进行调换或索赔。

对于管道附件要求表面要光洁,无眼孔、气泡、飞边、凸起及其他可能削弱阀性能或使人致伤的缺陷。同一制造厂生产的相同规格、型式和型号的所有阀零部件应能互换。制造厂应提供阀门耐农用肥料和化学物质腐蚀的资料。阀的基本尺寸及阀与管路的连接应符合相关标准的规定。手轮或手柄应牢固地连接在阀杆上并能够更换。阀杆应装有密封装置以保证其密封性,密封装置可采用弹性材料或机械性能和化学性能均适宜的其他材料。有条件情况下,对阀门应进行上密封试验、壳体试验和密封试验。

2.5 微灌设备的现场验收方法

微灌系统整体结构与喷灌大同小异,验收检查环节基本同喷灌。对于微灌灌水器验收时要求其外观色泽应均匀一致,表面光滑无毛刺,无明显的未塑化物及穿透性杂质。滴灌管要与其配套的接头结构连接方便。微喷头流道应光滑,断面尺寸偏差应不大于公称值的5%;设计和制造应能保证微喷头安装在管道上正常运转;微喷头的结构应能保证用手工或标准工具更换零部件。需要专用工具时,生产厂应提供。同型号、同规格的微喷头零部件应能互换。采用螺纹应符合《用螺纹密封的管螺纹》(GB7306)的规定,用 PE 管插入式连接时,端部尺寸扩张量应不超过管径的 20%。微喷头应适用于常用灌溉水(包括处理过的废水和化肥、农药水溶液)。如果制作材料不适合某些通常用于农业的化肥农药时,生产厂家应在说明书中注明。

微灌用筛网过滤器现场验收的评价指标与鉴定测试方法应按《微灌用筛网过滤器》(SL/T68—94)的要求,在外观上要求内外壁平整,无裂纹、明显的凹陷、沟纹等;滤网平整、清洁、无损伤,连接可靠;金属壳体过滤器的焊缝和热影响区表面无裂纹、气孔、弧坑和肉眼可见的夹渣等缺陷,防锈防腐层完整、无损伤,边缘与母材结合紧密、牢固;塑料壳体过滤器表面色泽均匀,浇口及溢边修除平整。

施肥器现场验收时应检查各部件连接是否牢固,承压部位是否密封;压力表是否灵敏,阀门启闭是否灵活,接口位置是否正确。

对于压力调节器要求其与水接触的零部件应采用无毒材料。在腐蚀工作条件下的压力调节器零部件应耐腐蚀或进行防腐处理。相同尺寸、规格和型号的压力调节器的所有零部件应能拆卸,同一制造厂生产的同种零部件应能互换。正常工作条件下暴露于紫外线中的压力调节器塑料件,应含有改善抗紫外线性能的添加剂。密封流道的塑料件应是不透明的,或用不透明的封套阻止所有的光线射入透明流道。

对微灌管道与连接件要求能承受一定的内水压力,管网所用管道与连接件应具有较强的耐腐蚀性能,以免在输水和配水过程中因发生锈蚀、沉淀、微生物繁殖等堵塞灌水器。管道及管件还应具有较强的抗老化性能,对塑料管与连接件,必须添加一定比例的碳黑,以提高抗老化性能。各连接件之间及连接件与管道之间的连接要简单、方便且不漏水。

3 结语

鉴于设施粮田和设施菜田建设涉及水利、农业跨行业建设与管理,制定本《指南》时,进行了相关调研,并征求了部分郊县的水务管理部门和农委的相关意见和建议。但由于这项工作量广面大,初稿中难免有不足之处,敬请有关专家领导提出宝贵意见和建议,以便加以修改完善。

参 考 文 献

[1] 水利部.灌溉与排水工程设计规范(GB50288—99)北京:中国水利水电出版社,1999

[2] 水利部.农田灌溉水质标准(GB5084—92).北京:水利电力出版社,1992

[3] 水利部.节水灌溉技术规范(SL207—98).北京:中国水利水电出版社,1998

[4] 水利部.低压管道灌溉工程技术规范(井灌部分)(SL/T153—95).北京:中国水利水电出版社,1995

[5] 水利部.渠道防渗工程技术规范(SL18—91).北京:水利电力出版社,1991

[6] 水利部.喷灌工程技术规范(GBJ85—85).北京:中国水利水电出版社,1985

[7] 水利部.喷灌工程技术规范(SL103—95).北京:水利电力出版社,1995

[8] 水利部.给水排水构筑物施工及验收规范(GBJ141).北京:水利电力出版社,1992

[9] 水利部.灌溉管理手册.北京:水利电力出版社,1987

浅议实施节水灌溉标准化的重要性

蒋 飚

(上海市金山区排灌管理所,上海 201500)

农业生产就其用水情况可分为两大类,即旱地农业(也称雨养农业)和灌溉农业。灌溉农业根据其所用的水源,又可分为地表水灌溉与地下水灌溉两类。旱地农业目前也不是都没有灌溉设施,例如在西北黄土高原地区,有不少地方修筑水窖和塘坝,雨季蓄集很少的地面径流,除解决农村生活用水外,剩余的一点水用来发展庭院种植业。但比较而言,旱地农业和地下水灌溉农业所用的水都是当地水源,这类灌溉方式对发展农业都有重要意义,但单位面积的用水量较少,对其他地方的影响也较小。利用河川径流灌溉则不然,这类灌区面积大,单位面积灌水量多,其引水对河道下游产生重大影响,而且多引水对其本身也产生消极作用,引起土壤次生盐碱化、沼泽化,加重涝灾威胁。在引黄灌区,还造成灌溉排水系统严重淤积。20 世纪 70 年代以来,南方许多河道断流,最根本的原因是各地灌区大量引水的结果。南方引河水灌溉的灌区,受资金限制,技术条件改善不多,有些还可能在继续滑坡。故时至今日,单纯引河水灌溉的灌区,仍然是浪费水最大的地区。因此,农业节水的主攻方向,应当选择引河水灌溉的灌区,尤其是应当做好大型引河水灌溉灌区技术改造和用水管理。

积极推行作为在科学技术向生产力转化中起桥梁和纽带作用的标准化,特别是节水灌溉和水土保持标准化对于保护环境、有效利用水土资源是十分重要的。

1 在农业生产中推行节水灌溉及水土保持标准化和标准体系的意义

节水灌溉和水土保持标准化,就是在农业生产节水灌溉和水土保持的经济、技术、科学及管理社会实践中,对重复性事物和概念,通过制定、发布和实施标准,以获取最佳秩序和社会效益。

节水灌溉和水土保持标准体系是将一定范围内具有内在联系、相互制约的节水灌溉标准和水土保持标准,排列成一个有机整体,作为主管部门进行标准宏观决策的科学依据。

20 多年来,在水利水电技术标准领域,我国已初步形成了节水灌溉和水土保持两个标准分体系。这两个标准分体系共有标准 70 项,其中节水灌溉标准 56 项,水土保持标准 14 项;国家标准 21 项,行业(部)标准 49 项。还有一些地方标准和更多的企业标准未统计在内。下面将两个标准分体系的形成简单作一介绍。

1.1 节水灌溉标准分体系

近 20 多年来,我国在节水灌溉方面持续不断地开展了科研攻关、生产试点工作,取得了一批研究成果,在此基础上制定了多项国家标准(GB)、行业(部)标准(SL、JB 等),各省、自治区、直辖市,各企业也根据各自的需要,制定了为数更多的地方标准(DB)和企业标准(QB)。

从这些标准的发布和实施可以看出:一方面,节水灌溉科学技术和实践经验是制定标准的前提条件;另一方面,当先进的科学技术成果和行之有效的实践经验一旦纳入标准,并加以推广应用,会促进节水灌溉标准化,推动节水灌溉科学技术和生产的发展。

1.2 水土保持标准分体系

经过近 10 年的建设,1995~1996 年国家技术监督局先后批准发布了 4 项水土保持标准,1996、1998 年水利部发布了 2 项行业标准,初步形成了水土保持标准分体系。

2 节水灌溉和水土保持标准化的特点

2.1 以综合标准化为基础

综合标准化就是在设备制造、工程建设、环境保护、经济、管理、基础、方法等类别都要制定和实施标准,而且每一类别中,各个环节都要有标准作为依据。例如设备制造,应当包括生产、加工、试验及检测;工程建设应当包括勘察、规划、设计、施工、安装及验收。

我国现有节水灌溉标准中,从功能、类别来讲,既有产品标准和方法标准,又有工程标准和环保标准,还有经济标准、管理标准和基础标准;从适用范围、级别来讲,既有国家标准,又有行业(部)标准,还有更多的地方标准和企业标准;从技术内容来讲,涉及到渠道防渗、低压管道输水、喷灌、微灌、雨水集蓄、土地平整、沟畦改进等节水灌溉技术以及与之密切相关的灌溉、排水、渠道、机井和泵站等。

2.2 以现代标准化为先导

现代标准化首要标志就是所制定的标准应当反映科学技术和生产的先进水平。

国际标准化组织的一位负责人曾说过:"标准是各种复杂技术的综合,国际标准中包含了许多先进技术,采用和推广国际标准,是世界上一项重要的技术转让。"因此,向国际标准靠拢,采用或超过国际标准早已是世界各国的要求。

我国在制定各项节水灌溉标准过程中,根据我国的实际情况,也借鉴了国际标准和国外先进标准,着力抓翻译、分析以及借鉴方式选择等项工作,先后组织力量翻译了有关 ISO 标准、德国 DIN 标准、美国 AsAE 标准、苏联 ГОСТ 标准、日本 JIsK 标准、保加利亚 AC 标准和罗马尼亚 STAS 标准等数十种,对上述标准结合我国的技术现状和可能达到的水平进行了认真分析研究,有的还对采用参数和指标进行了试验验证。通过专家以及主管部门召开的审查会议审查,认为我国目前制定的节水灌溉标准中的大部分参数和指标与国际标准和国外先进标准是相当的。

2.3 以促进农业和国民经济可持续发展为目标

在众多的必需资源中,最主要的是水土资源,因为水是生命之源,土是万物之本。节水灌溉、水土保持正是为了节约使用和管好上述两大资源。无疑通过制定、贯彻节水灌溉和水土保持标准,实现其标准化,对于促进农业和整个国民经济的持续发展将起到十分重要的作用。农业综合节水技术体系包括农业节水技术和水利节水技术。农业节水技术包括选育耐旱作物品种、保墒耕作措施、节水栽培技术(如趁墒播种、挑水点种、带土移栽、用秸秆和薄膜覆盖等),调整农业布局和种植结构,推广应用节水新材料、新技术等。水利节水技术包括渠系和建筑物配套、渠道防渗、平整土地、采用先进灌水技术(沟灌、畦灌、喷灌、滴灌、膜上灌)和科学的灌溉制度,推行计划用水等。农业综合节水技术体系要针对各个灌区具体情况,对各项成熟的节水技术进行组合和推广应用,达到水的供需平衡,提高农作物产量和经济效益。需要强调的是,各个灌区的水源条件和生产条件不同,因而需要采取的综合节水技术体系的内容和节水的力度应有区别。上海市金山区 2003 年国家农业综合开发项目之一的农技三中心草莓生产基地投入 500 万元引进以色列生产的净水节水灌溉整套设备,对园区内的 20 hm² 草莓实行定点定时浇水,实现农业灌溉现代化,每年可节水 50 t,既保证了农作物、水果的日常用水,又不浪费水资源,对全区农田灌溉如何合理使用水资源、节约使用水资源起到了模范作用。

2.4　以提高经济、生态、社会效益为中心

我国干旱缺水的地区在西北和华北,而水土流失最严重的地区恰好也在西北和华北,特别是西北。这些地区农业发展缓慢,许多农民还生活在贫困线以下。在这些地区发展节水灌溉,搞水土保持建设无疑是十分必要的,但在发展速度上必须考虑其承受能力。因而在制定标准中,必须注重提高经济效益,这样才能进一步提高他们从事节水灌溉和水土保持的积极性,增强他们自力更生开展节水灌溉和水土保持的经济实力,从而加快节水灌溉与水土保持开发治理的进度,实现《全国水土保持规划纲要》确定的治理进度指标,从而获得相应的生态效益和社会效益。

2.5　有中国特色的标准化

我国制定节水灌溉和水土保持标准的指导思想是:必须符合国情,能解决我国节水灌溉和水土保持科学技术与生产建设急需解决的问题;各项技术规定定性定量、准确可靠、便于执行;积极借鉴国外先进经验,但不生搬硬套,要有自己的特点。

3　完善农业生产节水灌溉和水土保持标准化的建议

在各级主管部门的领导和支持下,通过广大节水灌溉和水土保持工作者的辛勤劳动,如前所述,节水灌溉和水土保持标准化取得了令人鼓舞的成绩,但是距国家提出的大力普及节水灌溉技术、“九五”在全国建设 300 个节水增产重点县和实现《全国水土保持规划纲要》的要求尚有较大差距,主要是:①目前标准体系结构不够合理,有些技术目前还没有制定标准;②有的标准发布、施行时间已久,急需修订;③体系内各标准之间存在重复和不够协调之处;④标准的购销渠道不通畅;⑤标准化经费投入不足;⑥标准的制定修订、宣传贯彻和实施缺乏新思路等。为此建议:

(1) 加快在编标准的编制进度,严格按照编制规定进行标准的编制,保证编制质量,对于重点标准应从人力、财力上给予保证。

(2)严格检查和控制编写、送审、报批、印刷、供应等各个环节,确保标准尽早和顺利贯彻实施。

(3)清理整顿现有标准,开展标准复审工作。对于内容重复的标准给予合并;对于实施时间超过 5 年的标准,要进行全面复审,以确定局部修订还是立项全面修订,确保标准的先进性。

(4)建议主管部门列一项课题,开展“节水灌溉和水土保持标准体系合理结构”的研究,经过论证,增列少量急需标准,如有关节水灌溉工程验收、质量评定、经济标准和管理标准以及卷盘式喷灌机、坐水种播种机、渗灌、膜上(下)灌等标准和有关荒漠化治理标准等。

计算机自动化监控系统在新浜镇圩区的应用研究

吴伟峰　刘静森

(上海市水利排灌管理处,上海 200011)

1　系统概述

新浜镇位于上海市西南部,平均地面高程低于 3.20 m,属于典型的西部低洼地区,在汛期常处于平均高潮位以下,极易受洪涝灾害袭击。近几年各级水务部门加大了对低洼地的治理力度,新浜镇圩区的硬件设施得到明显改善,防洪除涝能力得到加强,基本已达到 20 年一遇标准,为建设自动化泵闸监控系统提供了基础条件。但新浜镇的圩区内水闸、泵站的运行管理仍处于比较落后的状态,以人工操作方式为主,需要大量的操作人员进行管理,存在着信息传递速度较慢、调度管理困难、成本高、效率低下等问题,这与上海国际性大都市郊区的地位极不相称。因此,加强圩区管理的科学化、自动化水平便成了当前郊区水利工作中的当务之急,必将成为今后一个阶段工作的重点。《上海市郊区水利现代化发展纲要》明确提出了到 2015 年基本实现郊区水利现代化的目标,要求在工程管理方面不断提高水利工程自动化管理水平,把现代信息技术、计算机技术、自动控制技术应用于水利工程管理中,提高科技含量,使工程管理走向科学化。

面对严峻的形势和任务,上海市水务局启动了新浜镇圩区泵闸计算机自动化监控系统建设,以期通过该项目的实施为上海郊区水利现代化建设探索一条新路,积累更多的信息化建设经验。系统位于上海市松江区新浜镇,涉及 4 个圩区 28 座水闸和 23 台水泵,控制面积 1 933 hm^2,实现整个系统设备的现场和远程控制操作、主要参数的实时监测、故障报警、运行过程模拟显示等功能。另外还可以有效地提高设备的可靠性、安全性、可维护性。对设备参数和运行人员进行实时监视,消除设备运行隐患,确保设备的完好率和可调率,减轻运行人员劳动强度,达到"无人值班,少人值守"的运行管理要求,进一步提高圩区调度的及时准确性,顺应水利行业运行管理现代化的发展趋势,发挥系统最大的社会效益和经济效益。

2　系统建设目标及原则

2.1　目标

2.1.1　实现远程监控,提高圩区现代化管理水平

系统建设的目标是:圩区内的水闸和泵站运行管理实现"无人值守",中央计算机根据水位仪和雨量计监测数据,通过预先设定的数学模型计算提供给用户最优的调度方案,控制水闸和水泵的工作状态,实现圩区调度运行的科学性;向上级主管部门提供水情、雨情、工情等信息,为防洪除涝和水资源合理调度提供科学依据。

2.1.2　完成试点任务,为全市水利信息化建设积累经验

系统作为上海市水闸泵站计算机自动控制系统的一部分,旨在通过项目建设积累更多

的计算机自动化控制经验,为面广量大的圩区建设和管理提供一种模式,也为整个上海市的水利信息化建设进行有益的探索。

2.2 原则

2.2.1 安全性原则

系统采用独立设计的 Web 发布模块,具有更高的安全性能。对进入系统的不同级别的人员赋予不同的操作权限,使其只能完成权限所授予的操作能力。在远程控制时,监控中心可以通过视频、对讲等对现场进行指挥,在开关闸门和开启水泵时现场均能进行声光提醒,确保万无一失。

2.2.2 可靠性原则

可靠性是整个工程成败的关键,因而在整个实施过程中,系统和设备选型尽可能采用具有成功应用实例的品牌。在设计中尽可能地使用现代容错、冗余技术,参数测量、故障检测也尽可能详细,数据通信有可靠的备用通道,以确保系统长期、稳定运行。鉴于整个系统将为防汛抗灾服务,所以充分保证系统可靠性是本系统设计的重要原则。

2.2.3 实用性原则

实用性是系统生命力之所在,是否能真正地为用户改善工作环境、提高工作质量、提升工作效率关系到项目建设的成败。系统设计符合水利系统的业务特点,以需求为导向,以实用为准绳,满足日常运行和管理的需要,尽可能使系统运行和操作简单、高效。特别是要在汛期防汛除涝和非汛期引清调水中发挥系统的优势,体现信息化建设的成果。

2.2.4 经济性原则

在满足可靠性的前提下,站点监控系统设计和设备选型应根据站点的不同需求合理选择,把系统实现成本和运行成本作为系统设计的重要指标来考虑。在此基础上,通过采用技术手段,在系统结构、功能上达到先进性目标,实现经济性与先进性间的合理平衡。

2.2.5 开放性原则

系统软件采用 OOP(面向对象技术)设计,支持业界 OPC(基于对象的过程控制)规范和IEC61131—3 开发标准,系统中的所有软件功能都采用 C/S 结构,分布于整个网络中。系统能将所有符合开放标准的产品和系统纳入与其进行数据交换的范畴,从而保证在统一的管理和维护下充分共享系统资源。

3 系统结构及组成

新浜镇圩区泵闸计算机自动化监控系统的实施对象为新浜镇 4 个圩区的水闸泵站,从地理位置上将系统划分为中心层、网络层和监控层 3 个层次。中心层位于监控中心,是整个系统的核心部分,所有远程监视、操作控制均可在中心层通过应用软件子系统和网络子系统完成;网络层分布于 4 个圩区的各个泵站、闸站,是构成系统必不可少的部分,所有的信息、命令必须通过网络层进行传达和执行;监控层位于各个泵站、闸站内,是整个系统的"感觉"和"执行"机构,是构成整个系统的基本要素。

从功能上可分为网络子系统、监控子系统、应用软件子系统、防雷子系统和防盗子系统等 5 部分。系统总体结构如图 1 所示。

3.1 网络子系统

由于新浜镇内水闸泵站覆盖区域广、地理位置分散,而且包含各种监控数据和视频流,

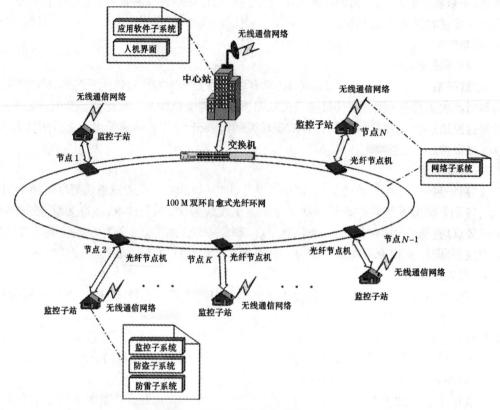

图 1　系统总体结构

信息流量较大,在比较多种通信方式后做出监控层与各监控子站之间铺设光纤线路,采用具有自愈功能的 100 M 光纤环网组成通信网络,保证在光纤环网内出现单点故障时的不间断通信,为整个控制系统提供一个安全、稳定的数字通道。组成宽带主干通信网络。系统间的信息传递,均以 TCP/IP 协议为基础,图像信息传输均以 IP 包的方式来传送。

3.2　监控子系统

监控子系统在地理位置上属于监控层,由位于各个泵站、闸站内的监控子站构成,主要任务是对分布在 4 个圩区的闸、泵工作情况进行监视和控制,将站内采集的视频信息和各类测量信息汇总后通过网络子系统传输至监控中心(中心层),执行远方对站内设备的操作或依据特定的规则对站内设备进行自动操作。实时数据采集和控制系统(包括采集设备和终端设备),其任务是通过采集各设备的状态量、模拟量以及站内的公共量(如防盗信号),防止对站内设备的非正常控制,优化对泵、闸设备的控制操作,保护站内设备的运行。系统具备现场、远程两级控制功能,现场控制比远程控制具有更高的优先权。正常情况下系统负责其所辖区域内的信息量的采集和接收,并执行主站(中心层)下发的控制命令,完成"数据集中器"的功能,通过对本地信息的预处理,降低主站的通讯负担;而在紧急情况下,又可在站内实施现场控制操作。

视频监控系统的主要任务是针对每个水闸泵站,安装 1~2 台彩色摄像机,监视闸站范围内的各种情况,与防盗系统配合,监视周围防盗区域状况。摄像机配备室外云台、智能操纵杆,控制摄像的焦距、光圈和云台的转角等。现场监控点采集的视频信息经数字转换和按

MPEG-4格式压缩后,以数据流的方式与控制信号通过光纤传输网络向监控中心传送,系统保证各站点的图像传送速度不低于25帧/s。操作员在监控中心可对任何一台摄像机进行方向、变焦控制,对相关区域进行搜索,对特定目标进行放大监视,并可按实际情况控制网络上图像数据的流量。

3.3 防雷子系统

根据本次工程施工的实际情况并结合防雷专家的意见,防雷子系统采用专用防雷产品,实现各监控站点的内部防雷和外部防雷,确保设备的安全。其中内部防雷包括配电保护及信号线路保护。各水闸泵站的信息数据采集设备大部分通过埋地线方式连接至工控机房(接地电阻要求小于4 Ω)。

3.4 防盗子系统

防盗子系统采用红外技术实现对各监控站点控制室和户外设备的防盗监视。所有的报警输出接点均接入站内本地PLC控制器,所有的报警信息通过PLC装置将报警信号传送至报警中心(即控制中心),主站和子站之间的通信可借助自动化系统的光纤通道。

3.5 应用软件子系统

应用软件子系统是整个自动化控制系统的灵魂和核心。应用软件子系统通过特定功能模块,充分利用网络子系统和监控子系统所提供的功能,协调系统内所有硬件和软件共同工作,实现圩区内所有水闸和水泵运行状态监测、水闸远程启闭控制、水泵远程启停控制,以及圩区内智能调水等功能,最终达到科学化管理的目标。软件子系统除Web服务应用外,均采用C/S结构构成分布式控制系统,以增强系统的实时性、可靠性。

应用软件子系统功能由监控站点层和监控中心层两个层次组成。各监控站点层按预先设定参数和控制策略独立运行。监控站点通过站点通信模块接收来自中心的各种查询和控制命令,并返回相应的水情、工情数据和监控状态信息,同时按中心视频服务器需求,站点视频服务器通过宽带网络,将本地的视频监控图像、以流媒体的方式实时传送至中心。监控中心层通过中心通信模块获取各监控站点的水情信息,根据调水预案实施远程控制,达到圩区综合调水的目的。监控中心将从各站点获取的水情数据存储至数据库,同时使用圩区仿真动态演示(伪GIS)实时显示各站点的水情信息和控制状态。中心提供Web查询功能,供授权用户远程查询圩区水情、工情、雨情和调度等信息和控制系统的运行状态等功能。

4 系统实现的功能

新浜镇圩区水闸泵站计算机监控系统基于安全、可靠和实用的原则,基本满足目前圩区运行管理的要求,实现的主要功能如下:

(1)监测功能。通过视频对水闸和水泵进行远程实时监测;实现视频信号的采集、捕获、分配、转换、压缩等功能,进行图像的显示和传输,且可对附加设备(如云台、镜头、雨刷等)进行控制。对圩区内外河的水位、雨量进行实时监测;对系统内所有设备的运行工况进行实时监测。

(2)控制功能。控制分为远程控制和现场控制两部分,现场控制具有第一优先权,且每个闸站均安装紧急停机按钮,以防止意外情况的发生。在监控中心通过网络实现对闸门启闭、水泵运行与圩区内水位实施联动控制。监控中心可与各站点间进行语音对讲,确保闸门启闭及水泵开启等操作的安全性。

(3)调度功能。圩区实现智能化、科学化调度是信息化建设的最终目标,可充分发挥计算机技术在复杂条件下的运算能力,提供多种方案供用户选择。主要着眼于圩区在汛期排涝调度和非汛期引清调度的要求,通过雨量计和水位计掌握即时雨情、水情和工情,利用河网水力数学模型实现圩区排涝和引清调度的智能化控制,大大提高了决策的准确性和科学性。

(4)报表功能。系统具有强大的报表和图表功能,以方便管理人员进行检查和统计,主要包括综合报表、水情报表、雨情报表、工情报表和调度报表等5大类实时或历史报表,基本能够满足用户日常使用的需要。

5 结语

以新浜镇圩区泵闸计算机监控系统为代表的水利信息化项目,在目标和功能定位上更趋向于安全、可靠和实用,突破了传统水利的框架,以信息化技术武装水利,为水利插上了现代化的翅膀,意味着郊区面广量大的圩区朝着现代化、自动化、科学化方向迈出了重要的一步,拉开了上海郊区水利现代化建设的序幕,代表了郊区水利发展的未来。

参 考 文 献

[1] 张维力.少人值守水电站计算机监控系统设计中若干问题的探讨.水电厂自动化,2000(5):15~19
[2] 邱公伟.可编程控制器网络通信及应用.北京:清华大学出版社,2000
[3] 李纪人,等.信息技术在水利领域应用与展望.中国水利,2004(22):26~28
[4] 徐薇莉,等.自动控制理论与设计.上海:上海交通大学出版社,1998

上海圩区信息化建设的实践与思考

吴伟峰

（上海市水利排灌管理处，上海 200011）

上海地处太湖流域下游平原河网地区，区域内河湖纵横，水系发达，素有"江南水乡"之称。郊区地面高程较低，特别是有 6.82 万 hm^2 高程低于 3.20 m 的低洼地，主要分布在古岗身以西的松江、青浦泖淀地区和金山北部及嘉定西南部，在汛期常处于平均高潮位以下，易受洪涝灾害袭击，且地下水位高，容易形成渍害。这些地区通常采取围筑圩堤和水闸来抵御洪水，并用排涝泵站来排除圩内涝水，形成一个个封闭的圩区。据《上海市水资源普查报告（2001 年）》统计，郊区共有圩区 385 个，面积 12.4 万 hm^2，圩堤总长度 2 638 km，排涝泵站 916 座，配套功率 6.4 万 kW，水闸 1 451 座（其中套闸 725 座，单闸 726 座）。

郊区圩区在抵御洪水侵袭、保护人民生命和财产安全方面发挥了举足轻重的作用。但目前圩区还存在着比较突出问题：第一，圩区基础条件较差。由于绝大多数水利工程处于偏僻的农村，极为分散且交通不便，这给突发天气防汛带来了相当大的难度，尤其是夜间管理难度更大。第二，圩区管理手段落后。圩区内的每座水闸、泵站均要派人值守，操作人员凭经验进行手动控制，效率普遍偏低，随意性大，缺乏一套高效、系统、科学的水闸、泵站综合调度系统。这些问题的存在一定程度上影响了圩区在防洪除涝和水资源调度中效益的发挥，也影响了郊区水利现代化的步伐。

近年来，随着信息技术的突飞猛进，计算机自动化控制技术在社会各个领域得到了广泛的应用。在从传统粗放型水利向现代集约型水利发展的过程中，高新技术发挥了越来越重要的作用，计算机网络通信技术和空间信息技术等支持下的非工程措施，得到更广泛的重视和发展。2003 年，上海市水务局提出以数据平台、网络平台和应用平台为框架的"数字水务"的目标，给上海郊区水利新一轮大发展提供了契机。

1 计算机监控技术在上海圩区中的应用

计算机监控技术在上海郊区水利中的应用已经非常广泛，特别是在单座水闸、单座泵站运行调度方面的技术已经非常成熟，也积累了丰富的经验。而在一个或者几个圩区上的应用就相对比较少，主要是因为圩区所涉及到的水闸、泵站的数量较多，并且圩区调度是一项复杂的系统工程，需要很高的技术含量，所以在国内的应用也不是非常多。近几年，随着郊区城市化进程的加快，对水利提出了更高层次的要求，传统的人工操作闸门和泵组方式效率低下，不便于进行统一调度、管理和决策，已不能满足社会可持续发展的要求。从 2000 年开始，上海市各级水务部门相继在圩区信息化建设和管理方面开始了积极的探索，先后建成了青浦镇胜利圩区群泵群闸自动监控系统和松江区新浜镇圩区水闸泵站计算机监控系统，其中前一个项目是基于单圩区的自动化控制，后一个项目是基于多圩区的自动化控制，这基本上涵盖了上海郊区圩区的所有类型，具有较强的代表性。这两个项目的建设拉开了上海圩区计算机自动化监控的序幕，为今后圩区的信息化建设积累了经验，同时也展示了圩区现代化的美好前景,其意义非常深远。

1.1 青浦区胜利圩区群泵群闸自动化监控系统

青浦镇胜利圩区群泵群闸自动化监控系统是上海市第一个将计算机技术应用于圩区水闸、泵站控制和管理的系统,其控制面积 733 hm²,项目包括 10 座水闸、3 座泵站。系统采用总线拓扑网络结构、光缆通信,实现对水文雨情信息等数据自动采集及泵闸运行状态的自动监测,泵闸控制具有现场手动、自动控制和中央远程控制三大功能,使整个圩区的除涝系统形成一个有机的整体,大大提高了除涝能力和管理效率,同时大大降低了劳动强度,基本做到无人化管理。该系统的建成使水闸、泵站运行更为科学正确,最大限度发挥了水利工程的效益,不仅推动和加快了青浦区的水利现代化建设、水利信息化改造的进程,同时也使郊区水利工程管理向现代化、科学化迈出了可喜的一步,为上海其他地区的水利信息化、水利现代化建设提供借鉴和参考。

1.2 松江区新浜镇圩区水闸泵站计算机监控系统

松江区新浜镇圩区水闸泵站计算机监控系统位于松江区新浜镇,涉及 4 个圩区,控制面积近 0.2 万 hm²,对 28 座水闸和 23 座水泵按无人值守要求进行分布式自动化系统改造,通过 PLC 对水闸、水泵实现远程监测和控制,同时预留与上级部门的数据接口,向上级主管部门提供水情、工情、雨情和调度等信息,为防洪除涝及引清调度提供科学依据。

松江区新浜镇圩区水闸泵站计算机监控系统实现的主要功能有:

(1)监测功能。通过视频对水闸和水泵进行远程实时监测;实现视频信号的采集、捕获、分配、转换、压缩等功能,进行图像的显示和传输,且可对附加设备(如云台、镜头、雨刷等)进行控制。对圩区内外河的水位、雨量进行实时监测;对系统内所有设备的运行工况进行实时监测。

(2)控制功能。控制分为远程控制和现场控制两部分,现场控制具有第一优先权,且每个闸站均安装紧急停机按钮,以防止意外情况的发生。在监控中心通过网络实现对闸门启闭、水泵运行与圩区内水位实施联动控制。监控中心可与各站点间进行语音对讲,确保闸门启闭及水泵开启等操作的安全性。

(3)调度功能。圩区实现智能化、科学化调度是信息化建设的最终目标,可充分发挥计算机技术在复杂条件下的运算能力,提供多种方案供用户选择。主要着眼于圩区在汛期排涝调度和非汛期引清调度的要求,通过雨量计和水位计掌握即时雨情、水情和工情,利用河网水力数学模型实现圩区排涝和引清调度的智能化控制,大大提高了决策的准确性和科学性。

(4)报表功能。系统具有强大的报表功能,以方便管理人员进行检查和统计,主要包括综合报表、水情报表、雨情报表、工情报表和调度报表等 5 大类,基本能够满足用户日常使用的需要。

2 圩区信息化建设取得的经验

2.1 立足实用,切实提高圩区科学管理水平

是否从实际需求出发,是否以实用为原则,是衡量系统成败的关键。因此,在系统设计时应充分考虑到现场运行的实际需要,以用户的需求为导向,对于现场运行条件、管理人员素质予以高度重视,保证运行管理、运行操作、运行维护源于常规而又高于常规。主要体现在:友好的人机界面,方便的操作方式;完善的信息提示,可靠的操作保障;动态的操作流程,

实时的操作进程;标准化的数据库结构,高度自动化的信息管理;方便快捷的操作指导,多重可靠的操作权限。例如松江区新浜镇圩区水闸泵站计算机监控系统软件充分考虑到圩区管理的习惯,分汛期和非汛期两种操作模式,以圩内、圩外水位和降雨量为系统的触发条件,实现了系统的智能化管理,真正地使系统在防汛除涝和水资源调度中发挥作用,为用户提高管理水平和效益服务,有效地解决了许多监控系统面临的"重建轻管,建而不用",以及"为控制而控制、为演示而控制"的瓶颈问题,切实提高了系统的实用价值。

2.2　优势互补,充分发挥水利与 IT 行业特长

由于水利行业与 IT 行业的专业性比较强,因此要找到一家对水利行业非常熟悉而又有丰富经验的 IT 公司比较困难。因此,在项目建设前组成一个由三类人才组成的团队,即"一个水利技术人员、一个计算机专家、一个水利与计算机专业之间的'翻译'"。以这样的三类人组成的开发小组来完成专业应用软件的开发,可以弥补专业技术与计算机技术之间的结合缺陷。通过这种方式最大限度地发挥各自专业特长,实现优势互补,同时结合信息化项目的特点,在建设过程中强化项目建设管理,例如在松江区新浜镇圩区水闸泵站计算机监控系统建设中,采用了"借用外脑",即聘请专业人士担当技术顾问;"试点站建设",即先建设样板工程,然后采取以点带面、全面推进等措施,均取得了良好的效果。

3　圩区信息化建设中需注意的几个问题

3.1　圩区信息化建设需要以需求为导向,准确定位

目前国内许多信息化项目建设过程中出现过由于水利主管部门专业限制,对 IT 技术不甚了解,加上缺乏调查研究,对系统需求不明,定位不准,在建设时又贪大求全,盲目追求设备的高性能,这一方面造成了投资的浪费,另一方面反而影响了系统的综合性能。因此,在圩区信息化建设中应该尽量避免以上情况的发生,在项目建设前充分了解用户的需求,以需求为导向。在系统操作上是"全自动"还是"半自动",是否需要人来进行干预等问题上应该准确把握。在软件的设计上以简便实用为着眼点进行准确定位,最大限度地满足用户的使用需求和使用习惯,操作流程尽可能地简便,做到人性化设计和傻瓜式操作。

3.2　圩区信息化建设需制定统一的标准,规范技术指标

现阶段许多控制系统、监测系统由于采用不同公司的技术路线,造成开发平台、数据库结构不尽相同,系统相互之间的兼容性差,信息资料不能相互共享,形成"信息孤岛",造成相当大的浪费。因此,考虑到圩区信息化建设是分步骤、分阶段实施的特点,首先应编制好《圩区信息化建设规划》,对技术标准、性能指标提出统一的要求,以便市、区、镇在圩区计算机自动化建设上能在统一的要求、统一的平台上进行,达到"资源共享、上下联动"的目标。

另外,许多水利方面的控制系统往往是参照工业控制的一些技术进行二次开发的,工业控制设备、技术对周围环境要求较高,但水利设施基本上处在野外,软硬件条件都比较差,这影响了在水利上的应用,因此在信息化建设时应该做好充分的市场调研,尽可能选择一些性能可靠、有应用经验的设备和技术。如果条件允许,可以建立一套适应水利特点的技术和设备数据库,以便于选用。

3.3　圩区信息化建设不但要技术上可行,而且要经济上合理

上海共有 385 个圩区,涉的面广量大,如果都要进行计算机监控系统建设,那么投入必将是非常巨大的。因此,在满足基本需求的前提下,追求高性价比的系统是圩区信息化建

设的惟一出路。圩区信息化建设需要采用合理的系统结构、优化的系统配置、通用化的设备选型、标准化的设备制造等途径来降低系统成本，以最小的投入取得最大的经济效益和社会效益。

参 考 文 献

[1] 李纪人,等.信息技术在水利领域应用与展望.中国水利,2004(22)

[2] 肖进城,等.灌区泵站监控仪的设计与实现.河北水利水电技术,2000(12)

[3] 徐薇莉,等.自动控制理论与设计.上海:上海交通大学出版社,1998

[4] 纪晓华,等.灌区灌溉自动化监控系统的设计与研究.灌溉排水,2002(4)

[5] 张维力.少人值守水电站计算机监控系统设计中若干问题的探讨.水电厂自动化,2000(5)

[6] 邱公伟.可编程控制器网络通信及应用.北京:清华大学出版社,2000

[7] 张海曙,等.农田灌溉管道工程自动化测控系统研究.扬州大学学报,2000(4)

GIS 在赵巷水利信息管理系统中的应用

沈　军[1]　邱雪妹[1]　朱宏进[2]

(1. 上海市青浦区排灌管理所,上海 201700;
2. 上海市青浦区水务局,上海 201700)

目前,水资源管理应包括水资源的开发、利用、治理、配置、节约和保护六个方面,保证水资源的可持续利用、促进经济社会的可持续发展。

随着经济社会的不断发展,水资源问题已成为区域发展的重要制约因素。一方面,大范围的水资源短缺已经影响到工农业生产和人民生活质量;另一方面,广泛存在的水资源盲目开发和不合理利用,已经造成对环境的危害,进一步加剧了水资源危机。解决问题的主要出路在于科学的水资源管理。然而,"水资源—环境—社会经济"是一个复杂的大系统,资源的时空分布、状态及各子系统间的相互作用关系相当复杂,面临庞大信息量。一般的信息管理方法,用纸张进行信息收集、储存,除存在物理缺陷以外,技术上也越来越不适应现代水资源管理的需要:第一,庞大的空间数据(通常是三维的)即使对专业人员来说,完全把握这些信息并应用于问题分析是相当困难的;第二,各水资源管理子系统都具有时间变化的特点,现代管理必须高效、实时地应用动态数据分析系统特性,进行诸如图形的多层次叠加、大规模三维地下水流模拟、分布参数的流域模拟等类定量化分析,以制定正确的运行决策和数据维护。手工操作是完全不可能的,一般的计算机数据处理或信息系统技术也是非常困难的。

地理信息系统以其高效的空间数据和属性数据的处理、维护能力及强大的检索查询功能,为在水资源管理过程中实时获取信息和决策分析提供了一个有效的工作平台和可靠的技术支持。

1 地理信息系统概述

地理信息系统(GIS)是一种采集、存储、分析、再现空间信息的信息系统,它不仅利用属性数据,更重要的是利用空间数据。GIS 通过将地理空间模型化并存储在计算机中,便于对地理信息进行快速查询、空间分析,以达到对研究对象的变化进行实时描述、模拟和预测的目的。相对于常规意义上的信息系统,因其能进行空间分析,更能全面、直观、动态地采集和利用信息,是一种更加完备、适用的信息系统。

伴随着计算机技术的飞速发展,GIS 在技术上日趋成熟,已形成了统一的功能结构:

(1)通过标准计算机外设(键盘、数字化仪等)输入、维护图形和属性数据;

(2)建立文件型的图形数据与关系型属性之间的特定链接,用以实现两类数据库之间的相互访问和操作;

(3)提供一系列有关图形数据的分析功能,如图形要素的拓扑关系、图幅拼接与叠加分析、信息分类及统计分析功能等;

(4)提供用户化的界面设计方法和专业化的二次开发接口。这些技术和功能的完善,使得 GIS 被广泛地应用于各种与空间分布数据相关的领域中,如地球科学(GSIS)、环境科学

(EGIS)、交通运输(TGIS)等。20 世纪 90 年代以来,GIS 应用一直是水资源学科中的热点课题,其内容几乎涉及到有关水资源研究的各个方面,如评价分析、模拟计算、资源管理、辅助决策支持等。

2 赵巷镇水利管理信息系统

2.1 赵巷镇水资源概况

赵巷镇位于上海青浦区东部,北纬 31.09°,东经 120.09°,属上海青松防洪除涝大控制片内,镇域总面积 40 km^2,是上海市的经济重镇。赵巷镇降水量充沛,年均降水量 1 034.1 mm,但年内分配不均,其中 3~5 月平均降雨 302.6 mm,占全年降水的 29%;6~9 月为主汛期,降水量 487.4 mm,占全年降水的 46.7%。赵巷镇在 7~9 月为台风季节,常发生特大暴雨。据有关记载,赵巷最高日暴雨量达 203.3 mm(1962 年 9 月 5 日)。赵巷镇属感潮河网地区,河网纵横,共有河流 133 条,非汛期河网水位受黄浦江潮位影响。1999 年本区遭遇特大洪水,汛期雨量达 1 150 mm,河网最高水位达 3.86 m,为近百年所罕见。为了建立高标准、完善的防洪除涝水安全体系,进行科学合理的水资源保护和利用,加强科学管理和科学利用,在水利现代化的规划基础上,建立高效实用的水资源管理信息系统,全面实施开发、利用、治理、配置、节约和保护水资源,以信息化促进水利现代化,具有非常重要的现实意义。

2.2 系统构建

赵巷镇水资源管理信息系统的构建可分以下三个主要方面。

(1)确定基本图层结构。根据赵巷镇水资源管理的实际需要,基于下述 3 类信息建立基本图层结构,完成相应的图形输入、编辑修饰和拓扑组织。第一类为自然地理与社会经济类信息,如行政区划、河流、人口、耕地、工农业区划、工农业产值等;第二类为水利工程类信息,如全区的水库、水井、引水、渠道和灌溉工程等;第三类为水文地质与水资源类信息,如各种水文、水文地质参数、地质构造、水污染、地表及地下水资源分布信息,以及与水资源管理有关的资源开发利用,水资源评价管理,各种调查、研究和勘探资料等。

(2)建立并链接属性数据库。根据图形各要素的属性建立对应的属性数据库,并且与图形数据建立空间坐标关联,实现图形数据和属性数据的相互检索、查询和更新。

(3)建立属性数据库管理模块。鉴于水资源日常管理大量关系型的文字和数据处理和 GIS 的能力,借助于 Access 数据库和电子表格设计控件,建立了一个与 GIS 相连接的专业属性数据库管理模块,并与其他基于管理的功能成为一个统一信息体系。

2.3 系统功能设计

赵巷镇水资源管理信息系统的功能可分基本功能和专门性功能两大类:

(1)基本功能。包括各种图文数据维护、检索查询、缩放、移动及拷贝、属性管理、打印等一系列基本的数据管理功能和各种用于用户操作处理的功能。

(2)专门功能。包括以下 5 个方面:①图形数据视图。通过提取某些图层,组织和维护具有特定水资源管理意义的专题专业图件。②属性数据表。以关系型数据库的方式创建、修改和维护各图层的属性数据,即一般意义上的数据库的建立。③统计分析图表。根据数据表进行统计学分析,生成相应的各种统计图形。④图形处理模块。依据数据信息,利用 MapInfo、ArcView、AutoCAD 等绘图软件,绘制各种专业等值线图、立体图、剖面图等。⑤二次开发接口。用 GIS 的链接语言进行二次开发的集成,即为二次开发提供专业兼容接口。

这些功能可在系统构建过程中组织,也可在系统运行过程中,根据实际需要进行应用。

2.4 系统优势和应用前景

根据以上思路和方法,进行了赵巷镇水资源管理信息系统的设计和开发,并由生产单位进行了试运行。实践表明,赵巷镇水资源管理信息系统的运用,极大地提高了水资源管理水平;该系统易于掌握,便于操作,效果显著,具有下列突出优势:①区域水资源信息集中统一管理,可减少信息流失和许多重复工作,便于信息资源共享;②促进区域水资源管理工作的标准化;③信息查询快速准确,形式多样,图文并茂,可随时为社会提供咨询服务;④简单、有效地辅助管理人员编制各种规划;⑤及时反映水资源—环境的动态变化。

上述优势和特点表明,水资源管理信息系统的设计和开发对于改善和提高区域水资源管理工作的效率水平、进行科学决策是非常重要的;它符合信息化、知识化的方向,为水利信息化的发展提供了一条有效的途径,具有广阔的应用前景。

3 结论

基于 GIS 支持的水资源管理信息系统,是水利管理信息化的重要途径,具有其特殊的优势,具有广阔的应用前景。

本次建立的赵巷镇水资源管理信息系统,相对地域范围较小,系统功能相对简单。要想利用 GIS 建立更加完善、功能强大的水资源管理系统,须要进一步进行水资源系统模拟和辅助决策支持方面的研究。虽然 GIS 本身并不提供任何系统模拟决策分析和辅助决策支持功能,但是利用其动态数据维护能力,结合专业性的模拟、优化分析工具,完全可以为决策部门提供一个实时的水资源辅助分析系统,结合模拟、优化分析模块,可以随时根据情况和新的数据变化,不断调整决策方案,进行实时分析决策,对水资源进行最优配置和实时运行管理,保障区域防洪除涝安全,提高水资源配置利用效率。

参 考 文 献

[1] 赵玉霞,赵俊琳.GIS 技术及其在区域水环境管理中的应用.水科学进展,2000(3)

[2] Bian L, et al. Integration architecture and internal database for coupling a hydrological model and ARC/NFO, HydroGIS 96: Application of Geographic Information System in Hydrology and Water Resources Management, IAHSpubl.1996(235)

[3] 李门楼,胡成,陈植华.河北平原区域地下水资源决策支持系统设计与开发.地球科学,2002(2)

[4] 张学会.山西省夹马口灌区的水利管理信息化.中国农村水利水电,2004(1)

上海市雨水资源化技术研究与应用

方跃骏[1]　陈　璟[2]

（1.上海市水利排灌管理处，上海 200011；

2.上海奉贤区排灌管理所，上海 201400）

1　概述

水是一切生命之源，是人类社会可持续发展的基础性资源，也是自然环境变化的重要因子。随着人口的不断增长、社会经济的迅速发展和人民生活水平的不断提高，人们对清洁水资源的要求也越来越高。但是与此同时，由于水资源在时空上的不均匀分配，加之对水资源的不合理利用和浪费，供需矛盾越来越突出。雨水资源的开发利用越来越引起人们的重视。目前我国雨水资源化应用可分为如下 3 类：

（1）为解决生活用水和庭院经济用水的雨水资源化应用工程。主要分布在干旱的西北黄土高原地区、地表漏水极强的西南石灰岩山区、淡水资源缺乏的海岛及缺乏优质饮用水的滨海地区。

（2）为农业生产需要而修建的雨水利用资源化应用工程。主要分布在北方的黄土高原和华北平原地区的旱作农业区。

（3）为缓解城市及周围地区的水环境问题而修建的雨洪水资源化应用工程，主要是利用城市雨洪弃水回灌地下水或用于卫生、环境绿化、消防和维持水体景观等。

上海地处长江与黄浦江末端，河网密布，水资源十分丰富，多年平均水资源总量达 9 467.17 亿 m³。但目前上海水资源污染现象十分严重，据调查，上海河道水质在 V 类和劣 V 类的占总数的 88.1%，Ⅱ～Ⅲ类水仅占 1%，没有 Ⅰ 类水，上海也是全国 36 个水质型缺水城市之一。与此相对应的，上海地区年降水量十分充沛。据统计，自 1956～1998 年，上海市多年平均降水量为 1 096.4 mm，年均降水量达到 69.52 亿 m³，目前上海雨水利用还比较滞后，特别是在每年的 5～9 月，由于受季风的影响，降水量相对集中，天然降水不能被有效利用，资源化程度低。一遇大雨易产生内涝，只能将雨水排入河流入海。以上状况与上海城市发展的目标极不相称。上海要建成现代化国际大都市和生态化城市，能不能摘掉"水质型缺水城市"的帽子将直接影响到城市发展目标的实现，水资源匮乏及污染已经成为制约上海市社会经济发展的重要因素之一。如何科学实现雨水资源化，缓解供水压力，减轻内涝压力，将成为今后一个研究方向，具有积极的实用意义。

2　国内外雨水资源技术研究利用现状

国外雨水资源化应用比较广泛，在一些发达国家，雨水资源化和雨水的收集利用已有几十年的历史。其经验和方法，对上海市雨水资源化应用很有借鉴意义。

美国的雨水利用常以提高天然入渗能力为目的，如美国加州富雷斯诺市的"Leaky Areas"地下回灌系统，10 年间(1971～1980 年)的地下水回灌总量为 1.338 亿 m³，其年回灌量占该市年用水量的20％。在芝加哥市兴建了地下隧道蓄水系统,以解决城市防洪和雨水利用问题。还制定了相应的法律法规对雨水利用给予支持,如《雨水利用条例》等。条例中规定所有新的开发区必须实行强制的"就地滞洪蓄水"。

德国利用公共雨水管收集雨水,采用简单的处理后达到杂用水水质标准,用于街区公寓的厕所冲洗和庭院浇洒。同时还制定了一系列有关雨水利用的法律法规。如目前德国新建小区均要设计雨水利用设施,否则政府将征收雨水排放设施费和雨水排放费。

日本的"第二代城市下水总体规划"将雨水渗沟、渗塘及透水地面作为城市总体规划的组成部分,要求新建和改建的大型公共建筑群必须设置雨水就地下渗设施。

综上所述,发达国家雨水利用的主要经验是:制定了一系列有关雨水利用的法律法规;建立了完善的屋顶蓄水和由入渗池、井、草地、透水地面组成的地表回灌系统;收集的雨水主要用于冲厕所、洗车、浇洒庭院、洗衣服和回灌地下水。

我国对雨水资源的利用自古就有,大多用于农业用水。但是对雨水的利用始终在低水平基础上徘徊,一方面缺乏科学的技术指导,另一方面没有认识到雨水资源的巨大潜力,从而使得雨水资源既没有形成规模利用,也没有产生规模效益。而城市雨水资源化的系统研究及应用尚处于起步阶段。"七五"期间北京开展了城市雨洪水利用技术研究。上海仅有部分建筑物建有雨水收集系统,如上海浦东国际机场航站楼已建有雨水收集系统用来收集浦东国际机场航站楼屋面雨水,但还未进行利用。天津市水科学研究所进行的"城区雨洪水利用"项目取得阶段性成果,在试验中,雨水作为第二水源用来灌溉绿地、冲厕、清洁路面或是涵养地下水。

3 雨水资源化技术研究

雨水资源化技术主要包括雨水收集技术、雨水储存技术、雨水净化技术和雨水应用技术4个部分。

3.1 雨水收集技术

雨水收集技术是雨水资源化应用技术之一,通过经济、安全、高效的防渗材料和现代技术的应用,对集流面进行防渗处理,提高集流面的集流效率,进行天然降雨的收集利用,是雨水资源化应用的关键技术之一。

上海地区地势低平,野外的雨水收集场所受条件所限,一般采用大棚顶部进行集雨,通过地面集雨需进行土地整修和排水沟渠的调整。如浦东马桥农业园区利用大棚屋顶作集流面,共有集雨面3.4万 m²,松江五库农业园区通过工程手段形成集雨坡面,利用地面坡面和大棚顶部共同集雨。城区建筑物密集,屋顶、高架与市政道路面积庞大,这部分的建筑物表面基本采用了混凝土、青瓦和沥青防渗处理,在上海的该类材料的年集流效率可达80％～90％,是优良的集流面,并配有完善的雨水输送管网,雨水资源化应用的潜力很大。

3.2 雨水储存技术

雨水储存技术主要反映在雨水储存工程的建设上。传统的雨水储存方法大部分采用塘坝,对土壤结构的适应性差,渗漏严重。随着雨水资源化技术的发展,雨水储存工程的类型也在不断变化和增加,蓄水池、蓄水窖、地下蓄水等都被用来储存雨水。上海地区野外的雨水储存基本采用蓄水池和塘坝,这类储存技术具有投资少、建设快的优点,然而它们都需要占用较大面积的土地,如浦东马桥农业园区共占地3 hm²,蓄水池即占了0.67 hm²,综合经济效益受到影响,只能种植蔬菜、花卉等高附加值农产品才能满足日常运行及盈利。上海城区的雨水储存工程建设比较滞后,城区雨水储存工程可以分解为居民小区雨水储存工程和高架雨水储存工程。

3.2.1 居民小区雨水储存工程

居民小区的雨水储存可分为室内池和室外池。室内池价廉,占用地下室空间,可以综合运用人防工程或地下室,采用防渗处理后就可以用于雨水储存。但是室内池容积较小,需成组设置。池内需漆成暗色,以防藻类滋生。室外池也设置在地下,结合小区道路、绿化等进行修筑。雨水收集储存能减少排入下水道的水量,减轻排水管网的压力,降低管网规模。

雨水以渗井形式进行回灌地下水,可以减轻因地下水超采造成的地面下沉危害。但是,即使是目前有控制地使用地下水,也正在导致上海不少地区的地面以平均每年 10 mm 左右的速度下沉。

3.2.2 高架道路雨水储存工程

高架道路雨水储存采用路旁葡萄串式储水池,沿道路两侧设置,储水池的密度根据道路路面面积及年降水量进行设置。上海市区截至 2004 年底共有市政高架道路 76.38 km,面积达 17.47 万 m^2,其充分利用可以每年蓄水约 1 900 万 m^3。

3.3 雨水净化技术

雨水净化技术指集蓄雨水的水质处理与净化技术。对于不同用途的雨水分别采取不同的水质处理和净化措施。上海地区没有重污染企业,CO_3^{2-}、Ca^{2+}、Na^+ 等离子较少,雨水水质较好,其 pH 值基本稳定在 6.3 左右,为弱酸性,适宜植物生长。对于采用喷灌、滴灌或渗灌技术进行大棚作物灌溉时,对水质要求较高,而雨水仅含少量泥沙,只需进行沉淀和过滤后即可满足要求。对于进行居民小区绿化及市政绿化的灌溉用水,对水质要求较低,只需在雨水收集后进行沉淀即可满足要求。

3.4 雨水应用技术

上海雨水灌溉应用技术是对水质要求较高的花卉、苗圃等温室大棚作物的灌溉,采用的是一种非充分灌溉技术。目前采用的主要灌溉方法有点浇点种、坐水种、滴灌、微喷灌、渗灌等,针对不同的作物,采用不同的灌溉方法、灌溉次数和灌溉定额。

居民小区的雨水应用技术由雨水贮水池用抽升设备(如水泵、气压罐)送至小区内部专为道路浇洒、绿化和汽车冲洗等日杂用水而设置的管网,供小区内部利用。

4 上海市雨水资源化技术适用范围及效益

雨水利用技术均有设施易实施、工程周期短、建设投资省、运行与管理费用不高等特点。由此可见,雨水资源化在补偿城市生态环境(地下水补充)、解决城市排水困难(城市发展快、排水设施不足、新建投资很大等)、防洪减灾和绿化美化城市等方面,具有重大的社会效益、经济效益和环境效益。

上海作为国际化大都市,应当抓住契机,牢固树立雨水资源先利用后排放的指导思想,并在具体的城市规划建设中落实,通过相应的法律法规落实,形成城市雨水利用产业链,通过科学研究指导雨水资源化应用,形成规模效益。

上海地区雨水资源丰富,其应用潜力巨大,雨水利用的经济和生态意义在于:① 雨水可免费使用。②雨水适于冲厕、洗衣物,故生活用水不必再用饮用水;雨水的钙盐含量低,属软水,可作冷却水。③雨水渗透可节省封闭路面下的雨水管道投资。④雨水渗透利于自然界的水循环,补偿地下水,减轻地面下沉对上海造成的危机。⑤雨水蓄水池和分散的渗渠系统可降低城市洪水压力和排水管网负荷。

在上海市,雨水资源化应用中应注意以下几个方面:①城市绿地、草坪是消纳雨水、增加入渗的理想场所,并有减少洪峰流量的功能。新建开发小区,应留有绿化面积。新建绿地草坪,应尽量低于路面,以增大接纳雨水入渗的几率。②城市铺地材料,特别是人行道,应采用多孔材质,减少封闭路面,以利于雨水入渗补给地下水。③铺设完善的小区雨水储存系统和渗井系统,将屋顶路面雨水尽可能导入蓄水池或渗井,减少排入下水道的水量,使本市不致因城区的不断扩大、不透水面积比率增大而使得排水河道防洪负荷加大,同时也丰富了地下水的回灌补给。④改造绿地和小区内的雨水收集和排放系统,充分利用草坪、灌木丛、树林过滤和吸附有机物质,尽量借用地形、地物因地制宜地改造。

5 结语

上海市雨水资源的开发利用将大大减轻供水压力,雨水入渗将提高地下水补给,减缓上海地面沉降的速度,减轻沉降危害。雨水资源的开发利用还可以节省开支:一是节省巨额市政投资。雨水利用工程可以减少需由政府投入的污水处理厂、收集污水管线和扩建排洪设施的资金。二是节省市政和居民用水开支。

参 考 文 献

[1] 汪松年,阮仁良.上海市水资源普查报告.上海:上海科学技术出版社,2001
[2]《中国农业全书》总编辑委员会.中国农业全书(上海卷).北京:中国农业出版社,2001

复合地基中梁单元的数目对桩体结构分析的影响

李　瑜[1]　王春浩[2]

(1.上海市水利排灌管理处,上海 200011;
2.上海市金山区排灌管理所,上海 201500)

目前,在桩－土相互作用的有限元分析中,桩结构的有限元模拟有许多方法。对于群桩的有限元计算方法有平面杆系有限元方法[1]、等代空间梁单元法[2]等。而单桩一般采用常规实体单元[3]、梁杆单元[4,5]等对结构进行离散。文献[6]指出,如果用梁单元离散桩体结构,划分梁单元数目较多,会使每段梁单元不满足经典力学中的浅梁假设。

随着施工机械及工艺的提高,工程中越来越多地使用强度高、混凝土用量省的薄壁筒桩。薄壁筒桩处理地基具有成桩速度快、承载力大、沉降量小等优点。在工程实际中,薄壁筒桩多用于交通工程的公路、桥梁软基的加固[7~9],很少用于水利工程地基的处理。对于薄壁圆筒桩,有的工程采用等参单元进行模拟[10]。但薄壁筒桩的弯矩较大,常规的应变单元是不合适的。理论上可用下述的梁柱单元进行模拟,将模型化成一梁柱单元,选择梁柱中心轴上的两个端点作为整个单元的出口节点,梁柱表面上任意一点的位移按下述的插值公式受控于梁柱单元的两个出口节点。

本文沿用梁柱单元的数值模型,综合运用一种插值公式控制形式的节点位移约束关系对薄壁筒桩进行数值模拟。同时,本文分析比较划分梁单元个数对计算结果的影响,得出合理的结论。

1　三维梁柱单元广义位移法[11~13]

根据桩与土共同作用分析精度的需要,理论上梁柱单元可以由任意划分的、任意多的节点来体现,如图1所示。

插值公式可以根据梁的工程弹性理论选用,下面推导相应的位移控制矩阵。对于如图1所示的三维梁柱单元,其单元出口自由度为:

$$\{\delta^e\}^T = \{u_A, v_A, w_A, \theta_{Ax}, \theta_{Ay}, \theta_{Az}, u_B, v_B, w_B, \theta_{Bx}, \theta_{By}, \theta_{Bz}\} \tag{1}$$

在单元的中性轴上:

$$\left.\begin{aligned}
u_{中} &= N_1 u_A + N_2 u_B \\
v_{中} &= N_3 u_A + N_4 \theta_{Az} + N_5 v_B + N_6 \theta_{Bz} \\
w_{中} &= N_3 w_A - N_4 \theta_{Ay} + N_5 w_B - N_6 \theta_{By} \\
\theta_{中x} &= N_1 \theta_{Ax} + N_2 \theta_{Bx} \\
\theta_{中y} &= -\frac{\partial w_{中}}{\partial x} = -N'_3 w_A + N'_4 \theta_{Ay} - N'_5 w_B + N'_6 \theta_{Ay} \\
\theta_{中z} &= \frac{\partial v_{中}}{\partial x} = N'_3 v_A + N'_4 \theta_{Az} + N'_5 v_B + N'_6 \theta_{Bz}
\end{aligned}\right\} \tag{2}$$

式中：$u_中$、$v_中$、$w_中$ 分别为单元的中性轴上任意一点的三个线位移；$\theta_{中x}$、$\theta_{中y}$、$\theta_{中z}$ 分别为单元的中性轴上任意一点绕 x 轴、y 轴、z 轴的转角，第一个转角对应着扭转自由度，其他两个转角是由弯曲变形引起的。

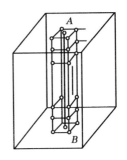

N_i 插值性函数同前面的二维情况，为：

$$N_1 = 1 - \frac{x}{l} \qquad N_2 = \frac{x}{l}$$

$$N_3 = 1 - \frac{3x^2}{l^2} + \frac{2x^3}{l^3} \qquad N_4 = x - \frac{2x^2}{l} + \frac{x^3}{l^2}$$

$$N_5 = \frac{3x^2}{l^2} - \frac{2x^3}{l^3} \qquad N_6 = -\frac{x^2}{l} + \frac{x^3}{l^2}$$

图 1　三维结构元的广义位移法描述示意图

当需要考虑梁柱的三维几何尺寸效应时，则梁柱表面上任意一点的位移 $\{u_k, v_k, w_k\}$，由梁的平面变形假设及运动假设有：

$$\begin{cases} u_k = u_中 + \theta_{中y}z - \theta_{中z}y \\ v_k = v_中 - \theta_{中x}z \\ w_k = w_中 + \theta_{中x}y \end{cases} \tag{3}$$

把式(2)代入式(3)，得

$$\begin{Bmatrix} u_k \\ v_k \\ w_k \end{Bmatrix} = [T_M]_A \Big|_{\substack{x=x_k \\ y=y_k \\ z=z_k}} \begin{Bmatrix} u_A \\ v_A \\ w_A \\ \theta_{Ax} \\ \theta_{Ay} \\ \theta_{Az} \end{Bmatrix} + [T_M]_B \Big|_{\substack{x=x_k \\ y=y_k \\ z=z_k}} \begin{Bmatrix} u_B \\ v_B \\ w_B \\ \theta_{Bx} \\ \theta_{By} \\ \theta_{Bz} \end{Bmatrix} \tag{4}$$

式中：$[T_M]_A$、$[T_M]_B$ 分别为控制点 A、B 对受控位移的插值控制矩阵。

$$[T_M]_A = \begin{bmatrix} N_1 & -yN'_3 & zN'_3 & 0 & zN'_4 & -yN'_4 \\ 0 & N_3 & 0 & -N_1z & 0 & N_4 \\ 0 & 0 & N_3 & N_1y & N_4 & 0 \end{bmatrix}$$

$$[T_M]_B = \begin{bmatrix} N_2 & -yN'_5 & zN'_5 & 0 & zN'_6 & -yN'_6 \\ 0 & N_5 & 0 & -N_2z & 0 & N_6 \\ 0 & 0 & N_5 & N_2y & N_6 & 0 \end{bmatrix}$$

从上述表达式可以看出，梁柱表面上任意点的位移不仅是结构轴向坐标 x 的函数，而且还是横向尺寸 $y(z)$ 的函数。

对于空心薄壁筒桩而言，理论上可以用上述的三维梁柱单元进行模拟。可以将模型化成一个梁柱单元，选择梁柱中心轴上的两个端点作为整个单元的出口节点，并假设两个端点的位移是真实存在的。那么已知桩的内、外半径 r、R 以及梁柱表面任意一点与 z 轴的夹角 θ，就可以推导出梁柱表面任意一点的位移是 x、y、z 的函数。三维空间薄壁筒桩示意图如图2所示。

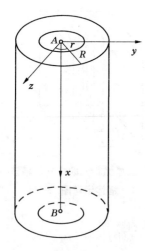

图 2　薄壁筒桩示意图

2　算例

上海市浦南东片出海闸工程南段导流堤工程,采用联体薄壁筒桩组成两道导流堤挡墙,挡墙内开挖形成出海河道。联体筒桩承受水平荷载。该工程采用的薄壁筒桩外径 1 000 mm,内径 600 mm,桩长 14 m。该工程场地土的构成及其物理力学指标见表 1。

本文研究了划分梁单元的数目对计算结果的影响。在计算中,薄壁筒桩按线弹性考虑,认为地基土服从摩尔－库仑准则,且桩处于地基的前三层土体之中。在进行桩的有限元计算中,分别将桩体划分 1、2、3、4、5、6、7、8 及 14 段梁单元,分析其位移和弯矩变化情况来确定梁单元的数目是否影响计算结果的稳定性,如表 2、图 3～图 5 所示。

表 1　场地地基土物理力学性质指标

序号	土层名称	平均层厚（m）	湿容重 ρ（kN/m³）	压缩模量（MPa）	内摩擦角 φ（°）	内聚力 C（kPa）
①	素填土	3.6	19.8	6.30	20.0	22.3
②	黏土～粉质黏土	2.46	19.4	4.50	17.45	20.0
③	淤泥质粉质黏土、粉质黏土、黏土	8.07	18.2	3.41	16.2	15.9
④	淤泥质黏土、淤泥质粉质黏土、黏土	8.31	17.5	2.38	13.9	15.2

注:表中数据均为平均值。

表 2　位移计算结果

单元形式	1 段梁单元	2 段梁单元	3 段梁单元	4 段梁单元	5 段梁单元	6 段梁单元	7 段梁单元	8 段梁单元	14 段梁单元
y_{max} (mm)	5.507	5.558	5.646	5.643	5.643	5.65	5.65	5.651	5.652

图 4 中曲线从左到右依次为 4 段梁单元、2 段梁单元、1 段梁单元计算结果。图 5 表示 3 段～8 段梁单元以及 14 段梁单元的弯矩—位移关系曲线。

由弯矩计算结果可以看出,1、2 段梁单元计算结果与其他梁单元计算结果相比有一定差距。当桩划分成 3 段以上梁单元时,计算结果比较稳定,没有大的变化。桩体穿过的土体有三层,桩体至少划分 3 段梁单元时,计算结果才是稳定的。也就是说,即使每段梁单元不满足经典理论中的浅梁假设,划分的梁单元达到一定数目后,梁单元的多少并不影响计算结果的稳定性。

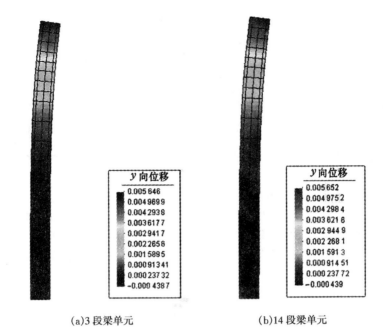

(a)3 段梁单元   (b)14 段梁单元

图3 3 段、14 段梁单元 y 向位移效果图(单位:mm)

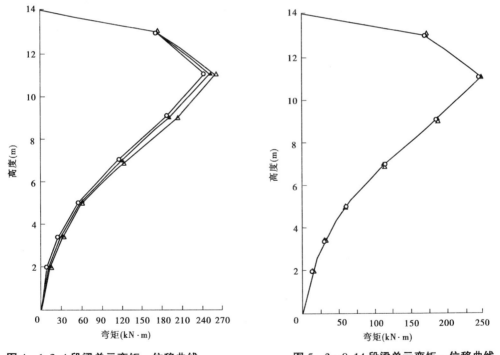

图4 1、2、4 段梁单元弯矩—位移曲线   **图5 3～8、14 段梁单元弯矩—位移曲线**

3 结语

用梁单元模拟薄壁筒桩,分析划分梁单元的数目对结果的影响。结果表明,在复合地基中,划分梁单元的数目至少与土层的数目相一致;划分梁单元的个数再多时,即使不满足经典理论中的浅梁假设,计算所得的结果仍然是合理的。

参 考 文 献

[1] 张启富.计算桩基的有限元方法及程序设计.合肥工业大学学报,1999,22(增):9~13

[2] 黄林,卜建清,满洪高.群桩的等代空间梁单元法.石家庄铁道学院学报,2000,13(4):87~90

[3] 刘利民,姜静,陈竹昌.复合桩基工作性状的非线性分析.土木工程学报,2001,34(1):56~60

[4] 陈小平,闫军.深基坑支护结构的三维杆系有限元分析.岩土力学,2001,22(3):258~261

[5] 张友良,陈从新,夏元友.杆件有限元法在抗滑桩设计中的应用研究.中国地质灾害与防治学报,2000,
    11(1):30~32

[6] 吴世明,周健,杨挺,等.岩土工程新技术.北京:中国建筑工业出版社,2001

[7] 蔡金荣,应齐名,谢庆道.现浇混凝土薄壁筒桩加固桥头软基试验研究.公路,2003(5):71~74

[8] 单煜辉,段勇,顾华忠.现浇混凝土薄壁筒桩处理公路软基.山东交通科技,2002(3):1~3

[9] 温淑莲,高山,闫守坤.用于软基处理的现浇薄壁筒桩设计计算方法.山东交通学院学报,2002,10(3):
    58~61

[10] 刘尔烈,黄饶军.沉桩对周围土体作用的有限元分析.港工技术,2001,6(2):32~35

[11] 钟万勰.关于广义位移在有限元分析中的应用及其程序实现.机械工程学报,1981(3):15~30

[12] 廖雄华,王蕾笑,周健.基于广义位移模型的大直径桩体结构单元内力分析.工业建筑,2001,31(10):
    34~36

[13] 廖雄华,张克绪,王幼青.用修正的梁杆单元刚度阵考虑桩的尺寸效应.哈尔滨建筑工业大学学报,
    2001,34(1):28~33

关于新农镇农村环境卫生整治的分析与思考

曹春江　　俞勇江

（上海市金山区排灌管理所，上海 201500）

随着社会的发展，加强环境卫生整治工作已越来越成为人们关注的问题。由于人们受陈旧卫生习惯的影响，随处乱抛垃圾，同时缺少一支健全的专业保洁队伍，新农镇农村河道被污水污物污染。农村环境质量的恶化，严重阻碍了农村精神文明建设，也不利于水源的保护，并阻碍新农镇农村的经济发展，不利于可持续发展。为此，我们应在农村加大宣传力度，提高村民素质。农村环境整治工作应资金到位、措施到位，加强企业排污的管理，并加快小城镇与工业园区建设。农村环境卫生整治工作是一项长久性、具有深远意义的工作，须制定长期管理制度，进行长效管理，使农村环境面貌上一个新的台阶。

一个地区的环境卫生状况，可以直接反映出这个地区的文明程度，加强环境卫生整治工作已经不仅是城市发展的需求，也是农村两个文明建设的重点。

我国已经加入了 WTO，2010 年世博会将在上海举行。形势发展对上海的生活环境质量提出了更高的要求。加强农村环境卫生整治，不仅有利于农民的身心健康，有利于农村疾病的预防，有利于提高村民的生活质量，同时也有利于改善农村投资环境，也是贯彻"三个代表"重要思想的具体表现，对发展农村经济有着重要意义。

近几年来，针对农村环境卫生存在的问题，新农镇政府部门已经做了大量的工作，每年都将农村环境卫生整治工作列为重要议事日程，增添了不少的硬件设施，并多次组织在全镇范围内开展卫生整治活动，并有计划地安排各村、各单位申报并创建市、区级卫生村与文明单位活动，有力地推动了新农镇环境卫生工作，使卫生状况在原有的基础上有了明显的提高。

1 新农镇农村环境卫生存在的问题

1.1 农村垃圾亟待管理

农村垃圾包括村民生活所产生的废弃物、建筑工程垃圾、工厂垃圾、道路清扫的垃圾等，所含成分复杂，数量巨大。这些垃圾是农村的主要污染源，破坏了农村的生态环境，威胁着人们的身体健康。

长久以来，人们已经习惯于将垃圾随意地丢弃于宅前屋后以及"六边"，即公路边、铁道边、溪河边、村边、田边、池塘边。大片的生活垃圾暴露堆放，既污染水源，又有碍观瞻。

1.2 农村河道污染日趋严重

"水清、天蓝"曾经是昔日农村田园风光的真实写照，然而农村河道的污染日趋严重使得农村风光不再，主要表现在以下向方面：

（1）企业的排污情况严重。新农镇处于金山区北部，一些企业排放的污染物严重超标，水污染和大气污染较严重。再加上禽畜场污水向河道排放问题十分突出，引起水质污染严重，水质恶化。由于众多镇办企业随意排放工业废水，以及其他污染源的共同作用，排放量不断增长,新农镇农村各级河道水质急剧恶化。

(2)陈规陋习导致河道污染。由于人们对水环境的观念淡薄,陈规陋习导致农村生活环境的脏、乱、差现象较为突出。由于农村住房都临河而建,尤其在城乡结合部,人口密度较高,河道成了人们心目中"天然的垃圾箱"。加上农村使用石油液化气逐渐普及,原本作为燃料的稻草等被大量扔入河中,导致河道淤塞、河水污染。

(3)河道疏浚滞后。土地承包责任制实行后,随着产业结构调整的不断深入,农村大量的有机肥料被化学肥料取代,原来河道淤泥还田、积肥等农作方式已一去不复返。河道内日益积累的淤泥得不到及时疏浚,河道槽蓄容量不断减少,使水体产生富营养化,"水葫芦"大量生长、繁殖,严重影响了水中动物的繁殖、生长,原来河中的鱼、虾等已不断地减少,甚至销声匿迹,生态系统失去了平衡。

从以上各种污染源可以得知,新农镇农村周围的河道水质、水环境正遭受着巨大的污染源的威胁,河道综合功能日益退化,并且被污染的情况日趋严重,如何保护好水资源、水环境应成为当前工作的重点之一。

1.3 缺少一支健全的保洁队伍和规范的垃圾处理场所

搞好农村环境卫生整治必须建立一支素质好、责任心强、能吃苦耐劳的保洁队伍。2003年,全镇范围花大力气实施农村生活垃圾集中处置工作。虽说成立了一支队伍,但保洁员缺乏正规的培训,思想意识还不能真正放开,认为保洁工作是一项不够体面的工作,所以工作缺乏主动性。同时,由于农村住宅分散,面广量大,也给硬件设施建设和环境卫生的整治工作增加了难度。

2 环境恶化带来的危害

环境恶化带来的危害主要有以下几个方面:

(1)直接导致农村环境质量恶化,严重阻碍了农村精神文明建设。由于人们随意地乱扔垃圾而导致农村环境普遍恶化的现状,将直接影响到人们的身体健康及生活质量。随着物质生活水平的提高,人们对"吃、穿、住"的要求越来越高,而环境问题则直接影响到人们的生存环境质量。垃圾堵塞的河道不仅有损美观,而且一到夏天,蚊蝇滋生、细菌繁殖,导致疾病的传播,直接危害了人们的身体健康。另外,长期闻着伴有臭气的空气,接触并使用受到污染的水,时间长了也会诱发慢性病。而上述情况,与村里每年提出并实施的"卫生村"、"文明村"的创建工作相违背,阻碍了农村精神文明建设。

(2)不利于水资源的保护。成堆的垃圾不仅堵塞了河道,一些物质在水中腐烂、变质、分解,再加上工厂排放的污水,禽畜养殖场排放的粪便以及田中的残余农药、化肥的渗入,各种有毒物质汇合在一起。这种水源再灌溉农田,污染了农作物,人们食用粮食,常年累月造成间接中毒,给人们的身体健康带来危害。更为严重的是污水一旦进入水产养殖场,将会造成大量鱼虾死亡,造成严重的经济损失。

(3)环境问题制约了本地区的经济发展。物质文明建设与精神文明建设两者是相辅相成的,精神文明建设需要强劲的经济支柱为后盾,而环境整治工作同样需要资金投入,一个优美舒适的环境也会有利于本地区经济的发展。随着中国加入WTO,许多投资商都将目光投向农村这片广阔的天地,环境面貌已成为吸引投资者的第一印象,并直接影响到招商引资工作的顺利进展。

由于新农镇农村环境受到污染,严重影响了农作物的产量和品质,同时也影响各类养殖业的发展。

(4)不利于各种疫情的预防和控制。农村医疗基础设施薄弱,卫生技术力量不足,疫病监测体系不够健全,农民普遍缺乏必要的卫生防疫知识,防范疫病的意识差,农村存在着"非典"、"禽流感"等疫情扩散的渠道和隐患。特别是一些经济比较落后的农村,环境卫生脏、乱、差的状况还没有得到有效的解决。

(5)不利于社会经济的可持续发展。如果今天我们不注意环境问题,不久的将来我们的子孙后代将会生活在被污染的环境里,生存将受到严重威胁,这是环境问题带给人们最为严重的后果。

3　应采取的措施

3.1　提高认识,加强领导,把解决农村垃圾出路问题提上重要议事日程

实实在在解决农村垃圾问题,也是积极贯彻"三个代表"重要思想的具体体现。各级政府领导,特别是村委干部要真正把开展农村环境卫生整治、解决垃圾出路问题摆到重要议事日程上来,作为移风易俗、提高村民文明素质的重要举措和精神文明建设的突破口。从环卫基础设施完善、所需经费的筹措等方面着手,制订切实可行的实施方案,落实镇、村干部的岗位责任制,考核结果直接与政绩挂钩。

对于新农镇农村垃圾的处理,目前虽然已实行了集中收集,但只是物理上的处理,即集中填埋。笔者认为,今后可以进一步采取垃圾分类收集,并进行生化处理,以达到再利用的目的。

3.2　加大环保宣传力度,提高村民素质

群众是垃圾的产生者,也是垃圾污染环境的受害者,更是环境治理的受益者。由于传统思想观念的束缚,如今卫生状况还存在着较为突出的问题。随着经济的发展,人们虽然开始意识到改善居住环境。比如,装修房子的人是越来越多,将室内环境打扮得温馨漂亮、干净整洁,可对室外整体大环境却不闻不问。常常是美化了自己小环境,扰乱了社会大环境。

农村环境卫生这些问题的存在,其最主要的原因是由于人们的思想观念转变不够,文化素质低,卫生意识差,对这些问题所带来的严重后果考虑得不够。因此,提高人们的总体素质,改变卫生观念是改善环境问题的关键。然而,提高村民素质并不是一朝一夕的事,需要我们有计划、有耐心地去进行,要常抓不懈。

3.2.1　加大宣传力度

可以利用各种宣传途径在农村进行大量宣传,充分调动卫生专业队伍的积极性,并对他们进行定期专业培训,才能更有效地达到宣传效果。同时,农村的小喇叭也可发挥作用,广播员可以多编写、播放环境卫生方面的宣传材料与健康教育信息。另外,农村基层还可以定期召开各层次人员的会议,勤换黑板报及报栏,以多角度、多形式进行宣传,不断提高农民对环境卫生与健康知识的知晓率,真正做到家喻户晓,人人皆知。

3.2.2　健全基层组织

成立相应的领导班子,确定健康教育的专职人员,建立社区健康教育联络员,收集辖区内的环境卫生信息,做到分工明确、责任明确,以确保健康教育活动正常、有序地进行。

3.2.3　开设卫生讲座

应该定期地对管理人员、信息员以及广大村民进行不同层次的讲座,例如对卫生保健、传染病的预防以及慢性病防治等多方面的内容进行讲解,提高村民的防护意识、环保意识。同时,各中小学校也应增设相应的课程或活动,从小培养正确的卫生意识。

3.2.4　学习先进经验

可以运用“走出去、请进来”的方式进行学习,采纳先进国家或地区的先进经验,主要是学习先进的管理措施与管理方法。比如说,一些环境卫生十分理想的国内外大城市,都采用了较严厉的经济惩罚制度。当今社会,采用经济手段无疑是一项较为有效的措施。

3.2.5　建立健康档案

卫生机构可以组织人员对区域内的村民建立健康档案。前几年新农镇曾试点建立村民健康档案,通过对全体村民的健康普查,建立并记载每人的身体现状及家族病史,不仅有利于控制、预防、研究各种疾病,同时也对环境给人类带来的危害提供确凿的证据,对增强村民的环境保护意识、维护村民的身体健康起到积极的作用。

3.3　采取有效措施,狠抓主要环节

3.3.1　抓好农村环境的软硬件设施建设

针对目前农村环境的状况,我们应当首先解决原来留下的那些“难题”,即进行大规模的环境卫生整治活动,彻底疏通河道,清除农民宅前屋后的垃圾遗留点,确保公共部位有专人保洁,并配备相应的硬件设施。加强卫生村与文明村的创建工作,必须做好以下几点:

(1)软件管理。创建工作必须制定系统的计划、措施、方案,软件管理可以清楚地反映出创建工作的全过程,使创建工作真正纳入制度化、规范化、长效化的管理轨道。

(2)硬件投入。在各村的公共场所建造垃圾箱;大型企业、幼儿园等单位内设置水冲式厕所;村委会、厂区内,办公楼进行改造、装修、美化;公共部位、道路两侧进行绿化等。

(3)健康教育。每年度两次进行对农村居民卫生评比,并在全镇公布结果,奖优罚差。各卫生室做好防病宣传工作,及时掌握村民的健康状况。教育村民养成不在河内倒马桶、粪便,不用河水洗碗筷、瓜果,不乱倒垃圾等良好的卫生习惯。同时能自觉做到室内外杂物、柴草堆放整齐、场地整洁、鸡鸭圈养等,并做好土井消毒和灭鼠工作,食品店杜绝“三无”产品。

3.3.2　加强农村改厕、改水工作

应加强对农村改厕工作以及改水工作的管理,虽说农村已大部分解决了饮用自来水的问题,但还须加强对水源地水质的管理和保护,确保人们的身体健康。而农村改厕工作更应加强管理,农村部分老人因水费问题而继续使用马桶,将粪便直接倒入河中,造成河水污染,导致疾病的传播。所以,改厕工作在农村中留下的“小尾巴”一定要处理掉,应统一取消粪缸,建造三格式粪池,并做好消毒工作。

3.3.3　加强水利建设

由于长期以来计划经济体制的影响,在思想上“水利为社会,社会办水利”的意识薄弱,水利投资力度不够,不能满足建设需要。水利建设的投入要动员全社会力量,根据“统一管理、分级负责”,“三级政府三级管理”和“政府投入和受益者合理承担相结合”的原则,建立起多元化水利投资体制,使水利产业化。

3.3.4　加强农村绿化、美化工程

按照江泽民同志提出的“上海郊区农业要率先实现农业现代化”的要求,根据上海农村

将实现的"三个1/3战略",农村应当尽快实施起1/3的绿化工程。鼓励农民种植绿化植物,不仅可以提高经济收入,同时也可美化环境、减少污染。

另外,农村的各公共场所、主要交通要道两侧更应加强绿化率,农民应当转变观念,解放思想,抓住历史机遇,敢于闯市场,以取得经济与环境美化的双丰收。

3.3.5 加强企业排污的管理

(1)严格控制企业排污。制定引导性政策,引导未进行治污的企业对排污进行治理,使企业的污染负荷实现削减。同时做好监督和管理,防止有治污设施的企业为节约成本不运行或者低负荷运行。

(2)加强禽畜养殖污染控制。加强对禽畜养殖污染的控制和治理是一项十分重要的任务。例如全镇两个奶牛场,场主们在费尽心思来提高养殖效益的同时,大量的牛粪都进入了河道,河水流淌之处蚊子、苍蝇成群,水质受到严重污染。为此调整养殖场布局,对水源保护区内的养殖场应逐渐关闭。推行农场化和规模化经营,提高禽畜粪尿还田和综合利用是治理禽畜污染的重要出路,必须常抓不懈。

(3)集中处理生活污水。根据污水处理厂运行不足的情况,可因地制宜将污水处理厂附近的直排污水通过管道工程收集到污水处理厂集中处理;在乡村地区,可根据当地情况建立污水处理站,使生活污水经处理后排入河道中。

3.4 加快小城镇和工业园区的建设

由于人们以前缺乏对农村的整体规划意识,在农村环境整治过程中的矛盾也明显暴露出来。由于农村住房散乱,既缺乏整体的美观,又不利于管理,进行相应的措施配套更加困难,成本更高。近5年来,新农镇城镇居民虽然进城的队伍正在日渐扩大,但所占比例还不到全镇农民的1/10。为此,规划部门应从这一方面着手,在不断加强农村建房整体规划的同时,应鼓励农民向集镇发展。这样不仅有利于城镇的建设,也有利于环境整治,在设施配套、人员配备及其他方面,都比农村更完善,更有利于提高农民素质,改善生活环境。

3.5 更新观念、落实长效管理机制

3.5.1 大力发展卫生事业

(1)建立健全的环境卫生法律法规体系、监督执法体系。

(2)优化卫生资源配置,合理布局,逐步形成以社区卫生服务为基础的,分工合理的、方便、快捷的新型城镇卫生服务体系,提高对突发事件、紧急疫情的迅速反应和处理能力,加强对重大疾病的预防与有效控制。

(3)全面普及卫生知识,提倡健康向上的生活习惯与生活方式。

3.5.2 加强对废弃物污染防治

逐步实行垃圾分类收集,实现垃圾的无害化、减量化、资源化,提高垃圾无害化处理率和综合利用率,进一步提高废弃物中可利用物质的综合利用率。

3.5.3 建立一支健全的保洁队伍

目前,我们新农镇在农村河道保洁方面人员安排是一块空白,农村垃圾只是利用农村富余劳动力来收集,这些人文化素质低,劳动报酬低,没有社会保障待遇,势必造成劳动积极性低。应该抓住2004年上海市政府实事工程之一——"万人就业项目"机遇,一方面使那些下岗失业人员得以充分就业;另一方面,组织他们进行上岗培训,提高业务素质,使这一行业的从业人员规范操作。

各级政府大力开展水环境整治,加强河道长效管理,改善水环境,切实维护广大人民群众的根本利益,为社会经济的持续发展提供强有力的保障。

3.5.4 开征农村生活垃圾处理费

要认真贯彻温家宝总理关于"运用市场机制,实行垃圾排放收费制度,培育垃圾治理产业"的指示精神。在加大环卫产业经费投入的同时,制定农村、企业、常住人口、暂住人口缴纳垃圾清扫、清运处理费的政策,适当收取费用,以保证农村环卫工作的经费来源。

4 结语

农村环境卫生整治工作是一项长久性的工作,也是一项具有深远意义的工作,进一步加强软件、硬件设施的建设与管理,制定必要的长效管理机制,是确保农村环境卫生的关键。特别是像突如其来的"非典"、"禽流感",如何更加有力、有效、有序地防治并阻止其蔓延,每一个公民都应负起相应的责任,在增强自我保护意识的同时,掀起整治环境的热潮。特别是在农村,应当更加深入持久地开展卫生整治活动,并且养成良好的卫生习惯,形成健康向上的生活方式,让环境更清洁,让市民更健康,使农村的精神面貌迈上一个新的台阶。

出海闸排水安全区开启式隔离技术

陈志莉　林发永　丁梅良　杨永获

（上海市南汇区水务局,上海 201300）

出海闸排水安全区的设置是根据《上海市水闸管理办法》第 11 条规定:"为了确保排水安全,水闸管理部门应会同同级航务部门制定一定的安全区",是为了解决出海闸排水的安全而设置的禁航区。近年来,随着全市调水力度的加大,以配合 3 年环保行动计划,坚决消除中心城区的黑臭河道,改善郊区河道的水环境等要求,出海闸排水力度在不断加大,排水与安全的矛盾也日渐突出。设立排水安全区须采用隔离带技术。本文在分析现存的各种安全隔离带技术的基础上,探讨安全区隔离带技术,提出了满足隔离和开启双重要求的开启式隔离技术方案,并在大治河东水闸中得以应用。

1 安全隔离带设置现状及存在的问题

目前对于节制闸排水区域隔离带的设置,大多是采取固定隔离装置。如大治河西闸采用定位浮筒结构,与黄浦江内的固定浮筒原理一样,采用三点定位,浮筒用链连接,固定在水下定位点上,随着潮位的起伏而上下漂浮,如图 1 所示。

浦东新区的三甲港出海闸采用岸上两点固定定位,用锚链、钢缆将浮筒连接,链的长度控制在潮差的范围内,便于浮筒的起伏,如图 2 所示。

图 1　三点定位　　　　　　图 2　两点固定定位

固定浮筒式结构的缺陷是水下定位施工难度较大,施工成本高,若锚链在使用中发生脱落等现象,易引起漂浮,影响航道上的安全。两点岸上定位式由于岸线锚链过长,潮差与锚链起伏的要求较高,在落潮时,浮筒易漂浮不定,位移性较差,影响定位。

对于一般需开启和关闭的隔离带来说,在河面较宽的河流上设置,一般采用固定式的定位桩形式,即部分开启。由于设置排水安全区的河流是重要的引排水口门,在河中设置定位桩难度较大,施工难度大。若采用船上打桩,桩的运输、船的大小都较难配置,且要求牢固,桩基需很深,要求船体增大,安全系数低。若桩基不牢固,由于船只的碰撞,势必引起隔离带的损坏,无法满足要求,对维护与作业工作提出了较高的要求。

2 开启式隔离技术的要点

开启式隔离技术装置构成如图 3 所示。开启式隔离带是为了满足开启和关闭的要求,在设施上采用卷扬机、定滑轮、动滑轮、岸上两固定定位桩、若干锚链、浮筒、卸扣等。浮筒两端有用于连接的耳扣,利用卸扣将锚链与浮筒接起来,用锚链1、锚链2的紧松来实施浮筒A、B两端的开、闭,通过卷扬机的工作,定滑轮改变锚链运动的方向,动滑轮用于连接和减轻力的作用。

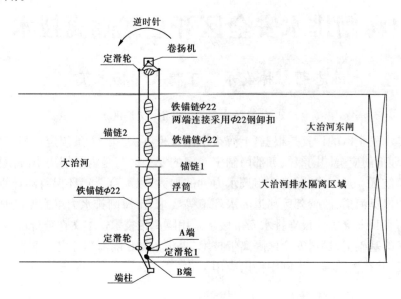

图3   开启式隔离技术装置构成

2.1   开启原理

(1)选用双向可调卷扬机,保证锚链2长度大于2~3倍河宽,锚链1长度大于1.2倍河宽。

(2)控制卷扬机开关,使卷扬机逆时针转动,并且锚链1放置于卷扬机上,卷扬机带动锚链1和隔离带浮筒A端后退北移,浮筒移开。

(3)当浮筒后退北移时,A端、B端间锚链上挂一重量较大的活动物体,当锚链北移时,由于锚链自重及所挂物体作用,A端、B端间锚链将沉入河底。

(4)同样原理,锚链2受其自重作用,也将沉入河底。从而在浮筒A端与B端间形成开口,作为船舶通道。

2.2   隔离原理

(1)如图3所示,打开卷扬机顺时针转开关,使卷扬机带动锚链2转动,拉紧锚链2。

(2)通过定滑轮1,锚链2拉动浮筒A端,同时锚链1南移。

(3)卷扬机拉紧锚链2,使浮筒A端移至B端,浮筒起隔离作用。

与一般固定式隔离带相比,上述隔离带能满足开启和关闭的要求,且施工难度低、成本低廉,且具有安全系数大、易操作与维修简单等优点。

本方案采用锚链和钢丝绳两道固定结构,在浮筒上采用反光标示技术,即使船体靠近浮筒,由于能整体漂浮以及有钢绳、锚链的作用,不易发生断裂。且在浮筒上设置警示标示,提醒船户不要碰撞浮筒,并在浮筒前有水下锚链张紧,使船体无法靠近浮筒,对浮筒采取了保护,使隔离带定位准确。

3   在大治河东水闸的应用

大治河作为上海市主要河道之一,是南汇区的生命河。河宽为102 m,全长39 km,其中南汇区为31 km。大治河东闸位于东海入口5 km处,是三级中型水工建筑物,也是目前全市最大的中型水利枢纽工程之一。大治河东闸是 6 孔节制闸,每孔闸门净宽 10 m,闸底板标高为吴淞 - 1.00 m。北孔为通航孔,通航标高 8 m。其余 5 孔为平面提升式钢闸节制孔。该闸 6 孔均采用横卧式液压启闭,动力为 30 kW,闸南边侧设 2 m 宽的鱼游道,故该闸总净宽为 62 m。备有备用动力 64 kW 柴油发电机组 1 台。闸下游设有汽二十级宽 7 m 的双车道公路桥 1 座。该闸设计流量为 680 m^3/s。目前由于外港河开挖河面为 60 m,故实际流量为 186 m^3/s。

排水安全区设于水闸上游 500 m 处,由于该区域内仍有船只通行的需要,根据航务部门的要求,安全排水区隔离设置需具备开启通航和隔离两种功能。为此,在南岸设置了定位桩与两个定滑轮,北岸安置了定位桩启闭设备、定滑轮、动滑轮,利用起锚机的工作原理和定滑轮、动滑轮的工作原理实施启闭。使用表明达到了设计的预期效果,满足了东水闸排水的需要。

4 结语

出海水闸排水影响到船舶及航行安全,特别是在防汛防台(风)时问题尤为突出。本文在参考各出海水闸排水安全区隔离带设置现状的基础上,提出了新的开启式隔离技术。在大治河东水闸的应用表明,本文提出的隔离技术,由于河中没有设置固定桩柱,对航行及河道维护没有影响,且有利于今后隔离设备的维修和养护。

青浦圩区达标工程建设项目效益评价的研究

陈林兴[1]　孙建国[2]　李　瑜[2]

1.上海市青浦区水利技术推广站,上海 201707;
2.上海市水利排灌管理处,上海 200011)

1 概述

1.1 项目由来

青浦区地处长江三角洲冲积平原,位于太湖流域下游,黄浦江上游,属太湖流域蝶形洼地淀泖低地部分,也是太湖下游地势最低处之一。全区耕地面积在 3.2 m 高程以下的有 20 万 hm^2,占耕地总面积的 60%,由于地势低洼,极易造成洪涝等灾害。

圩区工程增强了低洼地区防洪抗灾能力,促进了农业产业结构调整,并为圩区群众的生命财产安全提供了保障。到 1998 年,虽已建成圩区 143 个,但标准偏低,设施老化,难以抵御特大洪涝灾害。1999 年特大梅雨造成青浦区 1.58 万 hm^2 农田受淹。为进一步提高青浦区的抗灾能力,2000~2004 年全面启动了圩区达标建设工程,在上海市排灌处的领导下,由青浦区水利科技推广站开展了"青浦圩区排涝工程达标效果的评价研究",对工程效果做出评估,以便为后续建设提供借鉴与经验。

1.2 研究目的

本研究重点是开展圩区达标工程投入与效益比的定性与定量评估,具体内容包括社会经济效益评估、圩区管理影响力及水环境的评估。通过对圩区达标工程综合效益的评估,总结成功经验,发现不足,从而不断提高项目决策、工程实施和运行管理水平,并可对今后类似水利工程建设起到指导和借鉴作用。

1.3 主要研究目标及内容

1.3.1 目标

(1)建立一套适合于圩区效果评价的评价指标体系和评价方法。

(2)在评价的基础上,分析总结近年来圩区建设的成功经验与不足,为后续圩区达标建设起到指导和借鉴作用。

1.3.2 主要研究内容

(1)论述工程达标建设情况。

(2)通过对工程的投资、效益分析,进行工程的经济合理性评价。

(3)通过工程实施前后环境的变化,进行工程环境评价。

(4)依据上述评价结果,提出工程运行管理的有效措施。

(5)根据二级圩区建设规模、基建投入、管理运行成本等,确定合理的圩区建设规模及适宜的圩区水面率。

2 自然及社会经济情况

2.1 自然情况

2.1.1 气象

青浦区属北亚热带南缘型气候,日照充足,气候温和,雨量充沛。多年平均气温15.7℃,全年无霜期平均236天。多年平均降水量1 104 mm,降雨天数132天,多年平均蒸发量(E_{601}蒸发皿)为1 003.4 mm。

2.1.2 水文

青浦为平原感潮水网地区,潮差相对较小,但受上游客水下泄和下游高潮位的顶托,退水缓慢,高水位持续时间较长,1999年梅雨期间,南门站水位为3.77 m,泖田站水位达4.04 m,均创历史之最。

2.1.3 水系状况

青浦区地处长江三角洲冲积平原,位于太湖流域下游,属黄浦江水系。境内河道多受黄浦江潮汐和江、浙两省客水下泄影响和入侵,由吴淞江、淀浦河、太浦河、拦路港、红旗塘等径流区入浦归海。青浦区西部地区湖荡星罗棋布,所有市级、区级和镇级21个湖泊全部集中于此,如淀山湖、元荡、大莲湖、莳漾荡、雪落漾等。主要河道有急水港、拦路港、太湖河、大蒸塘等,且多为东西走向。东部地区水面面积则比较小,主要河道有东大盈、西大盈、油墩港、新通波塘等,多为南北走向。

2.1.4 水质状况

青浦区的水质总体来说非汛期比汛期好。商榻片、太南片、太北片比青松大控制片好,且水质状况有逐年下滑的趋势。据水资源普查统计(2003年),汛期259个监测断面中,劣Ⅴ类水211个,无Ⅱ类、Ⅲ类水质出现,非汛期85个监测断面中,劣Ⅴ类水质为27个,Ⅴ类水14个,Ⅳ类水35个,Ⅲ类水质仅为9个。

2.2 社会经济情况

根据2004年青浦区统计年鉴,青浦区2003年实现国内生产总值(GDP)207.1亿元,同比增长22.8%。其中,第一产业增加值9.7亿元,增长5.9%;第二产业增加值128亿元,增长23.8%;第三产业增加值69.3亿元,增长23.8%。经济结构不断优化,第一、第二、第三产业比为4.7:61.8:33.5。与2002年相比,第一产业下降0.8个百分点,第二产业上升0.5个百分点,第三产业上升0.3个百分点。

全年完成工农业总产值(现值)606.2亿元,增长22%。全区财政收入达52.7亿元,增长30.1%。其中,青浦区地方财政收入23.1亿元,增长36.9%。全年财政支出31亿元,增长23.2%。

3 圩区建设

3.1 大控制工程

大控制工程是鉴于青浦、松江地区田低水高、河港密布、圩头分散、上承太湖洪水、下接黄浦江高潮的特定自然条件,为了配合太湖流域综合治理和根治本地区各种水害,经过人们几十年笃行实践,锐意探索,不断提高而总结出来的一条治理低洼地的经验。

根据洪涝分开、高低分治、上下兼顾、团结治水的原则,配合太湖流域综合治理规划的安排,按地形、水情等自然条件将整个青浦区划为青松、太浦河南、太浦河北及商塌四个大控制区,实行分片治理,两级控制。

(1)青松片控制区包括青浦、松江两区黄浦江以北、吴淞江以南、淀山湖—拦路港—斜塘以东、东向阳—茜浦泾以西的大片低洼腹地,全线长 163 km(其中青浦为 85 km),总面积 7.31 万 hm²(青浦为 3.75 万 hm²),涉及徐泾、赵巷、华新、重固、赵屯、工业园区、朱家角、盈浦、夏阳等 9 个镇(街道)。耕地总面积 4.86 万 hm²(青浦为 2.79 万 hm²,占全区耕地面积的 2/3)。3.2 m 高程以下的低洼地 3.50 万 hm²(青浦为 1.46 万 hm²,占全区低洼地面积的 72%)。青浦境内水面积为 0.37 万 hm²(约占总面积的 10%)。

(2)太北片控制区包括淀山湖以南、太浦河以北、拦路港以西、元荡和雪落漾以东的地区,涉及金泽、练塘两镇,总面积 0.96 万 hm²,其中耕地面积 0.51 万 hm²,占 53.5%。水面积 0.28 万 hm²(包括拦路港),占 29.2%。

(3)太南片控制区包括太浦河以南、泖河以西的地区,直接受益范围为练塘镇,总面积 0.68 万 hm²,其中耕地面积 0.43 万 hm²,占 62.7%;水面积 0.10 万 hm²,占 15.2%。

(4)商塌片控制区总面积 0.30 万 hm²(不含淀山湖),其中耕地面积 0.17 万 hm²,占 56.6%;水面积 0.08 万 hm²,占 28.1%。

以上四个控制区的主要作用是:防洪、挡潮、排涝、降低地下水位、航运。规划标准是:1954 年型洪水不出险,1962 年型暴雨(24 小时降雨量 200 mm)不成涝,百日无雨保灌溉,地下水位控制在一般田面以下 1.0 m 左右,以消除渍害的威胁。在具体规划过程中,经过多方案比较,最后选用了"圩区加大控制"二级控制的综合治理方案。其指导思想是:对圩区原有的工程设施全部予以利用;再沿大控制线筑堤堵坝、建站(翻水站)造闸,进行工程配套,做到防(防洪)、挡(挡潮)、引(引水)、排(排涝)、降(预降)、航(航运)兼顾,洪、涝、渍、旱综合治理。

3.2 圩区达标工程建设前情况

从 20 世纪 60 年代始至 1998 年底,青浦区共建成圩区 143 个,水闸 551 座(套闸 294 座,单闸 257 座);排涝泵站 266 座,359 台(套),装机容量达 17 530 kW,理论排涝能力 400 m³/s;兴修圩堤 889.2 km。

在 143 个圩区中排涝能力(理论排涝能力)达到 20 年一遇排涝标准的圩区 68 个,占总数的 47.5%;15 年一遇的 24 个,占 16.8%;10 年一遇及以下的 51 个,占总数的 35.7%。

3.3 圩区达标建设

圩区达标建设工程从 2000~2004 年,历时 5 年,总投资 7 506 万元,共计新建圩区 3 个,改造圩区 103 个。完成新建水闸 76 座,改造水闸 52 座;新建泵站 84 座,改建泵站 77 座。通过联圩、并圩等措施,使原有 143 个圩区变为 126 个,累计增加受益面积 0.43 万 hm²。达标建设后,圩区排涝能力明显提高,达标工程涉及的 89 个圩区(以现状 126 个圩区统计口径)达到或超过 20 年一遇排涝标准的由原来的 44.9% 提高到 75.3%;15 年一遇的由 20.3% 减少到 10.1%;10 年一遇及以下的由 34.9% 减少到 14.6%。

4 工程评价

经济评价主要以经济内部收益率、除涝标准、经济效益费用比等指标进行评价,并开展了圩区适宜建设规模和圩区适宜水面率及圩区运行管理的影响方面的专题讨论。

4.1 典型圩区的选择

充分考虑水情工况、经济发展、地理位置等因素,最后确定重固、毛家角圩区(青松大控制片)、金泽港南圩区(商塌片)、练塘塘南圩区(太南片)和朱泖圩区(太北片)作为典型圩区进行经济评价。

4.2 经济评价方法

根据《水利建设项目经济评价规范》(SL72—94)及《建设项目经济评价方法与参数》的规定和要求,结合本工程的具体特点,分析工程效益,并进行经济评价。

4.3 效益分析计算

4.3.1 社会效益

(1)防洪除涝是一个地区基本的安全保障之一,防洪除涝标准提高后,改善了本地区的投资环境,为加快城镇化建设创造了必要的条件,并带动了区域经济的发展。

(2)由于抗灾、减灾能力的提高,受益区域的土地价值得到相应的提高。

(3)由于抗灾、减灾能力的提高,居民安居乐业,为创建和谐社会提供必要条件之一。

4.3.2 经济效益

(1)防汛排涝效益。防汛排涝工程的效益与其他工程效益计算不同,它不是直接创造财富,而是把因修建防汛排涝工程而减少的洪涝灾害损失作为效益。由于工程建设后至今未发生大的洪涝灾害,因此以1999年梅雨期间典型圩区受淹减产损失情况作为参照,毛家角、港南、塘南、朱泖1999年梅雨期损失分别为50.8万、131.5万、73.0万元和36.0万元。

(2)产业结构调整增加效益。由于防洪除涝能力的提高,促进了当地农业产业结构的调整,典型圩区增加效益分别为79.5万、1 133.0万、66.5万元和175万元。

此外,从青浦区的统计年鉴资料也可反映出农业产业结构的调整情况:圩区达标建设后粮经比例由2000年的52:48变为2003年的30:70;每公顷产值由2000年的0.89万元递增到2003年的1.30万元。

4.3.3 经济指标

(1)经济内部收益率。

(2)经济效益费用比。

经计算,毛家角、港南、塘南及朱泖圩区经济内部收益率分别为176.15%、1 244.70%、221.70%和194.35%,采用7%的社会折现率时的经济效益费用比为8.23、28.93、5.78和9.25。相应的经济净现值分别为808万、8 582万、814万元和1 329万元,说明圩区达标工程从国民经济角度分析是可行的,社会经济效益显著(见表1)。

表1 国民经济计算成果

项 目	毛家角	南港圩	塘南	朱泖
总投资(万元)	70.78	99.00	55.13	104.65
费用现值(万元)	112.00	307.00	170.00	161.00
效益现值(万元)	920.00	8 890.00	985.00	1 490.00
经济净现值(万元)	808.00	8 582.00	814.00	1 329.00
经济效益费用比	8.23	28.93	5.78	9.25
经济内部收益率(%)	176.15	1 244.70	221.70	194.35

4.4 圩区规模的选择

4.4.1 联圩、并圩的优点

(1)缩短周边防洪堤线,减轻防洪压力。

(2)减少圩堤渗漏,有利于控制圩内水位。

(3)原来一部分是外河的水面面积包进圩内,增加了圩内水面面积和圩内河网调蓄能力。

(4)由于封堵分汊支流,减少了水系间相互干扰和顶托,缩短洪峰高水位的持续时间。

4.4.2 联圩并圩注意点

(1)规模要适当。

(2)保证圩内有一定的水面面积。

(3)尽量考虑适应行政区划,以便管理。

4.4.3 圩区规模选定

圩区规模的选定应综合考虑上述因素,本次研究主要从运行成本进行比较,工程运行管理费主要包括人工费用、运行电费、维修保养费等,根据表2统计分析,青浦区现有的126个圩区中,66.67 hm²(1 000亩)以下的22个,占17.5%;66.67~133.33 hm²(1 000~2 000亩)的25个,占19.8%;133.33~266.67 hm²(2 000~4 000亩)的25个,占19.8%;266.67~400 hm²(4 000~6 000亩)的17个,占13.7%;400 hm²(6 000亩)以上的37个,占29.4%。本次调查了23个圩区,其平均运行费分别为:390.9元/(hm²·a)、327.3元/(hm²·a)、264.15元/(hm²·a)、236.1元/(hm²·a)和153.6元/(hm²·a)。从上述统计分析可以看出,圩区面积越大,运行成本越低。但考虑到目前的管理水平、行政区划等实际情况,结合周边江浙地区的经验,建议青浦圩区建设规模以400~666.67 hm²(6 000~10 000亩)为宜。

表2 青浦区2004年度圩区排涝管理运行成本调查

序号	圩区名称	所属控制片	面积 (hm²)	管理人员	人工费用 (元)	运行电量 (kW·h)	维修保养费 (元)	运行费 (元/hm²)
1	红星	青松片	95.20	1	10 000	10 345	2 300	161.85
2	垂姚	青松片	276.13	4	40 000	33 500	3 000	192.15
3	和睦	青松片	258.00	3	30 000	31 730	1 200	157.8
4	中千	青松片	468.40	4	40 000	58 535	13 500	151.65
5	泖北	青松片	51.67	2	20 000	15 000	3 000	532.2
6	叶长北	太南片	350.33	4	40 000	180 000	21 000	328.2
7	泖东	太南片	358.00	4	40 000	145 000	16 000	277.95
8	太北	太北片	954.67	8	80 000	450 000	36 000	262.95
9	前明	青松片	278.6	4	40 000	26 815	2 000	179.7
10	金云	青松片	218.87	5	50 000	21 625	3 500	274.05
11	花桥港	青松片	119.27	3	30 000	16 435	1 800	307.95
12	白马塘	青松片	84.07	1	10 000	7 500	3 000	181.35
13	叙中	青松片	352.00	4	40 000	29 300	15 000	181.2
14	联星	青松片	139.33	1	10 000	12 000	5 000	133.5
15	长朱	青松片	414.00	3	30 000	26 640	12 000	120.75
16	章浜	青松片	94.47	3	30 000	88 627	6 280	632.1
17	枫泾	青松片	208.80	3	30 000	79 828	13 854	324.75
18	朝阳	青松片	263.60	4	40 000	117 196	25 169	380.55
19	淀西	商塌片	632.47	5	50 000	186 000	25 000	190.95
20	东北	太北片	745.53	4	40 000	134 000	20 000	147.75
21	人民圩	太北片	66.67	1	10 000	12 500	5 000	281.25
22	西北	太北片	443.67	2	20 000	55 000	10 000	104.85

注:为了统一计算,本表人工费采用平均10 000元/(人·年)。

4.5 圩区运行管理

以商榻镇圩区管理办法的出台为标志,形成了青浦区较为成熟的圩区管理办法,即成立圩区管理委员会,以圩区为单位,整合了圩区内各村的资源优势,达到了统一调度、统一使用、统一管理、统一维护的目的,从本次调查的 22 个代表圩区资料显示,成立圩区管理委员会的商榻淀西圩区,它的管理运行成本比其他圩区的平均运行成本降低 26.6%,说明成立圩区管理委员会实行对圩区的统一管理是有效的,宜在全区推广。

4.6 合理确定水面率

保证圩内有一定的水面面积,可用来滞蓄涝水,从而减小排涝站规模,减小工程投资。适当增大水面面积,还可改善周边水环境。

4.6.1 从圩区管理运行费分析

根据表3统计分析,水面率6%以下圩区平均运行费 268.35 元/(hm² · 年);水面率 6%~8%圩区平均运行费 229.35 元/(hm² · 年);水面率 8%~12%圩区平均运行费 145.65 元/(hm² · 年)。

表 3 圩区水面率与管理运行费关系

序号	圩区名称	所属控制片	水面率(%)	运行费(元/hm²)
1	红星	青松片	11.6	161.85
2	垂姚	青松片	9.42	192.15
3	和睦	青松片	7.29	157.8
4	中千	青松片	0.64	151.65
5	泖北	青松片	2.63	532.2
6	叶长北	太南片	4.03	328.2
7	泖东	太南片	3.59	277.95
8	太北	太北片	2.86	262.95
9	前明	青松片	6.22	179.7
10	金云	青松片	6.40	274.05
11	花桥港	青松片	4.64	307.95
12	白马塘	青松片	7.30	181.35
13	叙中	青松片	11.50	181.2
14	联星	青松片	6.90	133.5
15	长朱	青松片	8.02	120.75
16	城南	青松片	4.53	632.1
17	枫泾	青松片	4.30	324.75
18	朝阳	青松片	7.55	380.55
19	淀西	商塌片	5.86	190.95
20	东北	太北片	8.00	147.75
21	人民圩	太北片	1.31	281.25
22	西北	太北片	8.04	104.85

注:为了统一计算,本表人工费采用平均 10 000 元/(人 · 年),电费 0.3 元/(kW · h)。

4.6.2 从圩区投资分析

根据表4统计分析,水面积6%以下圩区平均投资3 825元/hm²;6%~8%的平均投资3 000元/hm²;8%~12%的平均投资3 090元/hm²;12%以上平均投资2 325元/hm²。

表4 圩区水面率与投资关系表

圩区名称	控制面积 (hm²)	水面率 (%)	排涝泵站 数量 (台/座)	流量 (m³/s)	除涝标准 (年)	泵站投资 (万元)	投资 (元/hm²)
钱家泾	636.53	10.02	7/4	8.4	>20	177	2 775
石浦	238.20	7.75	2/1	2.4	20	50	2 100
朝阳	527.20	7.55	6/3	7.2	>20	150	2 850
周家港	190.33	9.91	3/3	3.6	>20	81	4 260
周荡	223.47	20.72	2/1	2.4	>20	50	2 235
横港	207.27	17.53	2/1	2.4	>20	50	2 415
长朱	414.00	8.02	5/3	5.4	20	122	2 940
坚强	124.20	5.85	2/2	1.75	>20	49	3 945
杨家庄	101.93	8.5	2/2	1.75	>20	49	4 800
白马塘	84.07	7.3	1/1	1.2	>20	27	3 210
联星	173.8	6.9	3/2	3.6	>20	77	4 425
红旗	143.47	8.83	2/2	2.4	>20	54	3 765
中新	277.87	5.09	4/3	4.15	20	99	3 570
尖家浜	66.20	2.72	1/1	1.2	>20	27	4 080
河(东南)	507.53	6.62	6/4	7.2	>20	154	3 030
金云	218.87	6.4	3/2	2.95	20	72	3 285
前明	278.60	6.22	3/2	3.6	20	77	2 760
海日湾	110.27	3.81	2/2	1.75	>20	49	4 440
姚河泾	75.60	2.47	1/1	1.2	20	27	3 570
花桥港	148.07	4.64	2/1	2.4	>20	50	3 375
河西(东)	108.47	8.91	1/1	1.2	20	27	2 490
叶长北片	350.33	4.03	5/5	6	>20	135	3 855

5 结语

5.1 达标建设主要经验

5.1.1 科学规划,统一配套

明确规划要求,细化技术指标,摸清设施现状,确定轻重缓急,结合各镇经济状况,落实当年计划。统一配套方面则选择零配件易购、售后服务好、水泵装置效率高的泵型,集中选

购,为设备维修保养和实行统一有效的管理奠定了扎实的基础。

5.1.2 规范施工,确保质量

(1)规范建设程序。由排灌所按基建项目实行公开招投标制,择优选择具备专业资质的施工队伍。

(2)引入项目法人制。各排灌站站长作为该镇工程项目的建设法人,承担代建职能,全面负责工程建设。

(3)加大监管力度。请具备水利专业资质的监理公司对工程建设实行全过程监理。

5.1.3 统一管理,凸显成效

管理的有效直接影响到工程作用和效益的发挥。从圩区达标建设的第二年,即2001年开始探索圩区管理的新模式。通过三年来的实践证明,不但实现了设施和人员的统一调度管理,确保了防汛排涝安全,同时降低了运行管理成本26.7%~30%。

5.2 结论与建议

(1)圩区达标工程具有较好的社会效益和环境效益。通过对典型圩区进行国民经济评价分析,证明经济效益显著。

(2)圩区达标工程提高了青浦区的圩区防洪除涝能力,达到或超过20年一遇标准的由建设前的44.9%提高到75.3%,而15年一遇和10年一遇及以下的则由建设前的20.2%和34.9%,下降到10.1%和14.6%,受益面积由3.90万hm²提高到4.34万hm²。

(3)未达20年一遇标准的圩区仍有24.7%,特别是10年一遇及以下的仍占14.6%。建议落实经费,继续实施。

(4)局部河道断面淤积严重,制约了河道的防洪排涝能力,建议应定期清淤,加强污水排放管理,控制直接排入河道的污染源,使水环境有实质性的改善。

(5)圩区规模以400~666.67 hm²(6 000~10 000亩)为宜,如管理协调有力,亦可扩大至666.67 hm²(10 000亩)以上;水面率控制在8%~12%之间较为适宜。

河 道 治 理 篇

浅谈生物技术在上海市河道
水质修复中的应用

刘静森[1]　黄毅华[2]　黄春霞[3]

（1.上海市水利排灌管理处,上海 200011;
2.上海市闵行区排灌管理所,上海 201100;
3.上海市青浦区排灌管理所,上海 201700）

1　上海市河道水质现状

　　上海地处长江口,位于太湖流域下游,属平原感潮型河网地区,境内河道纵横,水资源十分丰富。根据 2001 年 5 月发表的《上海市水资源普查公报》统计,上海共有大小各类河道2.38 万条,总长 2.16 万 km,河网密度平均为 3.41 km/km^2。其中,骨干河道有 324 条,总长 3 202.10 km。

　　半个多世纪前,上海的湖、河、港、滨交错密布,河水清澈,河道洁净,绿木扶疏,鱼虾嬉戏,一派江南水乡的秀丽景色和自然风貌。然而,由于工业化和城市化的迅速发展,而雨污分流与污水处理的建设和发展相对滞后,致使大量工业废水和生活污水直接排入河道,河道水质严重恶化。另外,城区不少河段为加大排涝和行洪能力,常常通过加高防汛墙或者将土堤改成高标准的钢筋混凝土或浆砌块石护岸,并通过"裁弯取直"将河道拉直,由此导致河水流速加快,水生生物栖息困难;加之固化的河道切断了与河岸土壤间的天然生态交换,从而导致河道水质进一步恶化,使河道丧失了其生物多样性等自然生态的基本特征。最新普查资料中水质综合评价结果表明,全市河道水质属Ⅱ类、Ⅲ类、Ⅳ类、Ⅴ类和劣Ⅴ类的河道长度分别占总河长的 0.1%、0.9%、10.3%、20.1% 和 68.6%。换言之,上海市的河道有九成左右水质在Ⅴ类以下,水污染情况着实令人担忧。近 20 年来,随着全市工业经济的不断发展,不少地区还出现了人河争地的情况:大量河道被填埋,水面面积急剧减少,这更进一步加剧了河道水质的恶化。按照最新普查资料,上海全市的河面率已经由 20 世纪 80 年代初的11.1% 下降到 20 世纪末的 8.4%,减少了 2.7 个百分点。也就是说,在不到 20 年的时间内,上海的水面面积减少了约 1/4,而且其中大多数是河道面积。

　　由于河道水质和水面率的急剧下降,上海市许多河道污秽不堪,游鱼基本绝迹,两岸植物枯萎,河道附近气味难闻,行人掩鼻而过,河边居民饱受其苦,往日优美恬静的水乡风景只能停留在老一辈人的记忆中了。

2 河道水质修复常用措施

按照不同地区的实际情况以及不同河流的功能差异,河道水质修复采取的措施各有不同。从目前上海市开展的河道水质修复试验来看,主要分为以下两大类修复方法。

(1)生态修复法。该类方法按照河道的不同情况亦分为两种。其一是适用于没有通航能力,但水体交换较为频繁的中小河道,例如市郊面广量大的镇、村级河流。该类河道以前没有特别的治污措施,基本依靠河道自身的自净能力保持水质。由于工业发展带来的大量污水向该类河道直排,超出了其自净能力,从而导致水体发黑发臭。对于该类河道的整治,首先要做的是对河道沿线的工业废水全面截污,同时清除河底淤泥,并大量采用生态型护岸,岸边广植绿树。把水、河道、河畔植物连成一体,在自然的地形、地貌基础上,建立起阳光、水、河畔植物、水生生物、土体、护岸等共同组成的有机的河道生态系统,借以全面恢复并进一步增强其原有的自净能力,帮助其重新恢复正常的河道生态系统,从而从根本上解决河道的水污染问题。其二是适用于部分等级较高的航道和已被固化的河道,目前中心城区不少环河就属于这种类型。其中的航道由于河道流速较快并且需要抵抗通航时船行波对河岸的冲刷,不得不对河岸采取相应的固化措施,如块石驳岸、混凝土护岸等;而不少城区河道并没有通航要求,但当初在河道整治时为了提高其防洪排涝能力,也对其进行了硬化处理。河道被固化后的直接危害是隔绝了河道水生生物和微生物与河岸的直接联系,破坏了河流生态系统的整体平衡,导致水质的严重下降。该类硬化河道一方面是不能拆,另一方面是拆除难度大。对该类河道,可以采取折中的办法,即在完善截污措施、降低污染的基础上,通过培育生态浮床、河底种植水生植物、放养水生动物等方法,最大限度地弥补因河水同河岸隔绝带来的生态链断裂的危害。

(2)生物修复法。该类方法主要适用于那些比较封闭、污染严重、河道水体交换频率低、具备发生稳定生化反应的河道,如部分居民区附近的城市内河等。按照水质修复的方式不同分为生物菌修复法和生物酶修复法。生物菌修复法主要采用不同的生物菌剂,补充或激活水体中的微生物群落,对水体中的污染物进行降解,减轻水体黑臭或富营养化,恢复河道底泥的活性,借以提高河道水体的自净能力;生物酶修复法主要采用多种能降解污染物的酶和促进微生物生长的有机酸、微量元素等,加速水体净化过程中微生物的生长和生物的演替,使污染物颗粒降解为无害物质,从而改善水质污染情况。

以上两种方法是近年来比较流行,也是符合科学发展观和构建和谐社会要求的新型水质修复方法,除此之外,还有两种比较传统的水质修复方法。其一是化学方法,这种方法主要通过向水体中加入化学药剂去除污染物(如藻类等),或加入铁盐促进无机磷的沉淀,或加入石灰脱氮等,其特点是起效快,但是易造成二次污染,目前使用的比较少。其二是物理方法,其主要通过沟通水系、疏挖底泥、机械除藻、引水冲淤等来达到改善水质的目的,采用这种方法在短期内一般都能收到较好的效果,但是其缺点非常明显:一是施工易受各方面因素的干扰;二是施工段周边居民或企业生活、生产受到较大干扰,常常导致纠纷;三是如果水体污染源未得到根本控制,治理清澈后的河道短期内又会恢复黑臭。该方法目前主要应用在郊区面广量大、污染物相对较少、工程量不大的村级宅河和镇级以下的引灌河道的治理中。

3 生物修复技术的发展简史、作用机理、分类与效果

生物是构成生态系统的要素,生态系统内物质循环主要是依靠生物过程来完成的。因此,利用环境生物技术可治理用其他方法难以处理的环境介质,即用生物修复(Bioremediation)技术净化环境,使受污染的宝贵资源如水资源(包括地面水和地下水)、土壤等得以重新利用,同时还可进一步强化环境的自净能力。

生物修复技术是 20 世纪 80 年代开始出现的清除和治理环境污染的生物工程技术,该技术主要采用诸如提高通气效率、补充营养、投加优良菌种、改善环境条件等办法来提高受污染环境中微生物的代谢作用和降解活性水平,以促进对污染物的降解速度,从而达到治理环境污染的目的。应用环境生物技术处理污染物时,最终产物大都是无毒无害的、稳定的物质,如二氧化碳、水和氮气,因此它是一种消除污染安全而彻底的方法。该技术在萌芽阶段,主要应用于环境中石油烃污染的治理,并取得成功,此后该技术被不断扩大应用于环境中其他污染类型的治理。欧洲各国如德国、丹麦、荷兰对生物修复技术非常重视,全欧洲从事该项技术的研究机构和商业公司有近百个,他们的研究证明,利用微生物分解有毒有害物质的生物修复技术是治理大面积污染区域的一种有价值的方法。美国国家环保局、国防部、能源部都积极推进生物修复技术的研究和应用。美国的一些州也对生物修复技术持积极态度,如新泽西州、威斯康星州规定将该技术列为净化受储油罐泄漏污染土壤治理的方法之一。20 世纪 90 年代,美国能源部还制定过土壤和地下水的生物修复计划,并组织了一个由联邦政府、学术和实业界人员组成的"生物修复行动委员会"(Bioremediation Action Committee)来负责生物修复技术的研究和具体应用实施。生物修复技术最成功的例子是 JonE.Llidstrom 等在 1990 年夏到 1991 年应用投加营养物和高效降解菌对阿拉斯加 Exxon Valdez 王子海湾由于油轮泄漏造成的污染进行的处理,取得了非常明显的效果,使得近百平方公里的环境质量得到明显改善。

受污染水体的生物—生态修复技术也是生物修复技术的一种,其原理是利用培育的生物或培养、接种的微生物的生命活动,对水体中污染物进行转移、转化及降解作用,从而使水体得到恢复。本质上说,这种技术是对自然界恢复能力和自净能力的一种强化。开发生物—生态水体修复技术,是当前水环境技术研究、开发的热点。目前所开发的水体生物—生态修复技术,实质上是按照仿生学的理论对自然界恢复能力与自净能力的强化。可以说,按照自然界自身规律去恢复自然界的本来面貌,强化自然界自身的自净能力去治理被污染水体,这是人与自然和谐相处的合乎逻辑的治污思路,也是一条创新的技术路线。

目前,生物修复技术被划分为原位微生物修复和异位生物修复两种。所谓原位微生物修复是指对受污染的介质(土壤、水体)不作搬运或输送而在原位污染地进行的生物修复处理,其修复过程主要依赖于被污染地自身微生物的自然降解能力和人为创造的合适的降解条件。异位生物修复是植被污染介质(土壤、水体)搬动或输送到他处进行的生物修复处理。但这里的搬动和输送是低限度的,而且更强调人为控制和创造更加优化的降解环境。在处理位置上,前者强调污染物存在的初始空间分布,后者则稍作迁移;处理过程中,后者有更多的人为调控和优化处理。现在所说的生物修复主要是原位修复。

与传统的化学、物理处理方法相比,生物修复技术有以下优点:①污染物在原地被降解;②修复时间较短;③就地处理操作简便,对周围环境干扰少;④人类直接暴露在这些污染物

下的机会减少;⑤不产生二次污染,遗留问题少。

4 生物技术在河道生态修复中的应用实例

近年来,上海市郊不少区、县多次开展了采用生物技术改善河道水质的试验,均取得了一定的效果,也积累了不少经验,为该项技术的大面积推广作了有益的尝试。闵行区采用原位生物修复邱泾河严重污染河道工程就是其中一个典型的例子。

邱泾河位于上海市闵行区,该区城市化水平较高,区内工业发达,其中不乏对环境污染较大的化工工业,大量的工业污水使得该区的河道污染情况比较严重。该区政府及相关领导相当重视河道的污染治理问题,多年来一直在探索不同的途径力求找到一种便捷、有效、节约的治污措施。邱泾河原位生物修复工程就是该区开展河道治污试验的一个缩影。该工程施工河段北起春申塘,南至六磊塘,全长 2 900 m。修复工程开始前,该河道水体污染相当严重,河道内水体表观呈灰白、青灰和黑色,有浮油漂动,底泥也被严重污染,搅动时有大量油花泛起,水体伴有恶臭,严重影响了周边的人居、投资环境。

邱泾河原位生物修复工程采用的生物酶是复合酶污水净化剂。该药剂是利用自然界存在的有机材料和生物酶成分制造出的生物酶降解剂类液体状清洁产品。其作用原理是通过激活土壤微生物,有效开发和利用河道生态的内循环供氧系统机能,促进河道中溶解氧的恢复,使污染物被有效去除,由此增强河道的纳污、控污和降污的自净功能,并通过控制污染物的扩散使受污染水体向良性生态系统演替。该产品的安全性通过了中国环境科学研究院环境分析测试中心有关的环境安全性领域的试验检测,属于安全性产品。

邱泾河原位生物修复工程自 2004 年 10 月份正式启动,2004 年 11 月起开始投药。为了科学、客观地评价该方法的实际效果,项目部在施工河段选择了 3 个比较有代表性的取样点,定期采集水样,定量地分析河道水质情况的变化。根据上海市最新水资源调查公告(2004 年),上海市骨干河道水质评价主要是有机物污染,其主要超标项目有溶解氧(DO)、氨氮(NH_3-N)、化学需氧量(COD_{Cr})等指标,在邱泾河原位生物修复工程中除了以上 3 项指标外,另增加了磷酸盐含量(可用来反映富营养化程度)的检测。表 1 为该河段不同时期的水质监测表。

从表 1 可以看出,邱泾河重污染段在实施原位生物修复工程后短短 1 个月时间内,主要水质指标已经有所好转,水体 DO 明显提高,NH_3-N 含量迅速下降,$PO_4^{3-}-P$ 含量显著降低,这表明导致河道富营养化的有机物污染情况在实施原位生物修复工程后短期内就得到改善;另外还可以看出,在施工河段中大量超出常规量的污染物的排入导致了水质监测指标的突然全面上升,但在复合酶污水净化剂的作用下,水体中 DO、NH_3-N、$PO_4^{3-}-P$ 指标能够在较短时间内恢复,这表明水体已具有一定的纳污和控污能力。而在该工程实施后已在原污染严重水域发现原生动物和藻类,这表明水体的生态环境得到了一定的改善,也进一步说明该河道水质情况已经有所好转。

但是,分析表 1,我们也发现了一些问题。我们看到投药后 1 个月与工程实施前相比,水体的 COD_{Cr} 含量变化不大,这表明短期内复合酶污水净化剂没有能够有效降低该河道中还原性有机物含量;再看工程实施后 4 个月的数据,水体的 COD_{Cr} 含量变化也不明显,其中在光华路取样点该指标还有突然增高的反常现象。多次的随机抽测基本能得出一个结论,即该复合酶污水净化剂对水中的还原性有机物含量作用效果不明显。这个结果启示我们在实施此类工程时,应根据实施对象主要污染物成分选择相应的生物制剂,特别情况下,应采用多种制剂以全面恢复水体水质。

表1 邱泾河原位生物修复工程监测点水质测定表

测定时间	检测项目	Ⅴ类水标准值*	光华路桥取样点	银都路桥取样点	申北路取样点
2004年11月10日,实施前	DO(mg/L)	≥2	0.8	0.6	0.8
	COD_{Cr}(mg/L)	≤40	289	223	144
	$PO_4^{3-}-P$(mg/L)	≤1.224	12.250	1.137	1.522
	NH_3-N(mg/L)	≤2	17.8	9.1	13.9
2004年11月22日,投药后1周	DO(mg/L)	≥2	3.2	2.3	3.6
	COD_{Cr}(mg/L)	≤40	415	121	104
	$PO_4^{3-}-P$(mg/L)	≤1.224	痕量	0.201	0.455
	NH_3-N(mg/L)	≤2	11.8	4.2	6.9
2004年12月19日,投药后1个月	DO(mg/L)	≥2	1.2	1.3	1.8
	COD_{Cr}(mg/L)	≤40	134	202	144
	$PO_4^{3-}-P$(mg/L)	≤1.224	0.310	0.769	1.191
	NH_3-N(mg/L)	≤2	3.7	5.5	8.7
2005年3月10日,投药后4个月(有大量污水排入)	DO(mg/L)	≥2	1.6	1.1	0.8
	COD_{Cr}(mg/L)	≤40	353	205	530
	$PO_4^{3-}-P$(mg/L)	≤1.224	0.153	0.593	1.033
	NH_3-N(mg/L)	≤2	34.3	45	65.1
2005年3月18日,大量污水排入后1周	DO(mg/L)	≥2	2.5	1.3	1.6
	COD_{Cr}(mg/L)	≤40	587	162	221
	$PO_4^{3-}-P$(mg/L)	≤1.224	1.090	0.039	0.106
	NH_3-N(mg/L)	≤2	16.1	20.0	34.3

注:*摘自《地表水环境质量标准》(GB3838—2002)。

闵行区的试验表明,采用生物技术改善水质是行之有效的一条新途径,但该方法目前还处于摸索阶段,市郊各区、县都是在近几年才开始进行此类试验,因此这种方法的长效性还有待时间的考验;另外,采用该方法的水体要求相对封闭,这样才能为生物菌、酶提供稳定的反应场所,但是这种准静止的水体环境受周边污染源及水文条件影响较大,因此判定其效果的干扰因素较多,导致其净水效果在不同时期相差较大。

5 结语

目前,上海市的生物技术在水质修复中的应用还处于起步阶段。该技术的进一步开发还需要得到社会、同行及主管部门的广泛支持。大力开展该技术的研究,将极大推进生物技术在环境保护中的应用,从而推动全市水环境和水资源保护工作的进展,有利于全市早日建成自然的、生态的人水和谐的优美水环境,让阔别多年的江南水乡的风情画面早日重现人们身边。

参 考 文 献

[1] 董哲仁,刘蒨,曾向辉.受污染水体的生物—生态修复技术.水利水电技术,2002(2):6～9

[2] 卫明,王为人,刘晓涛,等.自然生态型河道建设的理念及其应用.见:上海水生态修复调查与研究.上海:上海科学技术出版社,2005

[3] 卢智灵.上海市河道水质修复方法研究与探索.见:上海水生态修复调查与研究.上海:上海科学技术出版社,2005

[4] 董哲仁.生态方法水体修复技术.中国水利,2002(3)

[5] 汪松年,阮仁良.上海市水资源普查报告.上海:上海科学技术出版社,2000

[6] 顾咏康.上海河道水环境的污染与治理.上海建设科技,1998,4:21～23

[7] 潘浯轩.环境保护与生物技术.http://www.chinaep.net/xiufu/xiufu－014.htm

[8] 夏俊方.水体的生物修复.http://www.hwcc.com.cn/newsdisplay/newsdisplay.asp? Id＝102286

金山区镇、村级河道整治的研究与对策

蔡勇军　潘　龙

（上海市金山区排灌管理所，上海 201500）

金山区位于上海市西南远郊，南濒杭州湾，北连青浦区和松江区，东邻奉贤县，西接浙江省平湖市、嘉善县。东西长 43 km，南北宽 25 km，总面积 586.05 km²，海岸线长 26.2 km，耕地面积 3.21 万 hm²，且区域地处太湖流域碟形洼地边缘，地势低而平坦，属沿海感潮型水网地区，境内河道水系众多，水资源丰富。

随着金山区各项事业繁荣兴旺，城乡面貌显著改善，"三个集中"的进一步推进以及"三区一线一镇"的功能定位，全区居民经济收入稳步增加，生活水平逐步提高。但是，与居民生活、生产息息相关的水环境污染日益加剧，已经严重影响了人民的生产和生活，特别是近几年，居民对整治河道的呼声愈来愈高。为此，对全区的镇、村级河道整治已经迫在眉睫。

1　镇、村级河道整治的重要意义

1.1　镇、村级河道整治是实践"三个代表"重要思想的具体体现

进行镇、村级河道整治，建设生态河道，有助于减少环境污染和生态破坏，有助于促进人们增强生态保护意识，有助于改善人民生活环境质量、提高人民生活水平，使金山区天更蓝、地更绿、水更清。因此，进行镇、村级河道整治，建设生态河道，就是发展先进生产力、发展先进文化、代表最广大人民的根本利益，是"三个代表"重要思想的具体体现。

1.2　镇、村级河道整治是人与自然和谐发展的必然要求

由于人类活动的影响和生产建设的需要，在经济高速发展的同时，随着人口密度增加、资源的减少、生物物种的衰灭，人们生存的生态环境遭到了较大的破坏。历史经验表明，生物物种越多、越复杂，生态系统就越稳定；如果生态环境遭到破坏，将制约人类社会经济的发展。因此，必须坚持以人为本，树立全面、协调、可持续的科学发展观，坚持在发展中保护、在保护中发展，推动整个社会走上生产发展、生活富裕、生态良好的文明道路。

1.3　镇、村级河道整治是走科学发展和可持续发展的必由之路

镇、村级河道整治，就是要走出一条科技含量高、投入少、资源消耗低、环境破坏小、环境资源得以充分发挥的治水新路子，走出一条科技先导型、资源节约型的发展之路。这不仅有利于促进水资源的永续利用，实现水环境的科学发展，更重要的是能够在根本上整合和重新配置有限的水环境资源，为可持续发展铺设道路，真正做到天更蓝、地更绿、水更清，把美好的绿色水奉献给金山人民。

1.4　镇、村级河道整治是提升城市竞争力的有效途径

生态河道和可持续发展是城市综合实力和竞争力的重要组成部分，增强城市综合竞争力，必须找准比较优势，培育产业优势，打造竞争优势，优越的水环境是金山区的独特优势、战略资源，因此必须坚持"安全、资源、环境"战略。进行镇、村级河道整治，就是发挥金山水环境优美的比较优势，发掘潜在优势，并通过污染治理消除污染严重的劣势，再创水环境新

优势,打响绿色水都,在更高层次和水平上为金山区的发展提供有力的水环境支撑。

2　金山区镇、村级河道现状

根据金山区第二次河道调查基本情况统计(见表1、表2),金山区现有各级河道1 559条,总长2 145.12 km,河网密度平均为3.64 km/km²,各级河道的河口水面积为42.10 km²,占全区总面积的7.15%。其中,镇、村级河道1 520条,1 835.41 km,水面率为4.33%,淤积量为1 215.15万 m³。

表1　镇、村河道数量分布情况

河道管理等级	河道数量(条)	河道总长(km)
镇级河道	175	481.02
村级河道	1 345	1 354.39
合　计	1 520	1 835.41

表2　金山区镇、村二级河道基本情况

序号	镇	镇管河道			村管河道		
		条段	长度(km)	淤积量(万 m³)	条段	长度(km)	淤积量(万 m³)
1	枫泾	27	69.28	59.19	208	184.38	76.99
2	朱泾	20	67.16	57.22	134	105.99	32.26
3	亭林	30	71.62	42.13	212	178.26	100.39
4	漕泾	20	44.77	58.05	104	108.85	79.21
5	山阳	11	33.40	20.72	60	125.99	67.42
6	金山卫	21	70.77	88.34	128	105.06	113.43
7	张堰	11	27.25	38.78	111	119.99	77.58
8	吕巷	18	42.98	31.60	144	121.09	56.71
9	金山工业区	8	23.13	21.13	76	108.95	70.58
10	廊下	9	30.66	18.76	137	171.48	104.66
小计		175	481.02	435.91	1 314	1 330.04	779.24
合计		1 489 条段			1 811.06 km		1 215.15万 m³

虽然全区河网密布,水资源丰富,但是水质污染相当严重,绝大多数河道水质为Ⅴ类和劣Ⅴ类,少数为Ⅳ类水,河道出现不同程度的富营养化,使得生态用水缺乏,水环境恶化加剧。在占河道主要数量的镇、村二级河道中,大部分河道淤积深度在1.2~2.1m,河道内芦苇、野茭白丛生,生活垃圾及水葫芦、水花生等水生植物覆盖了大部分水面,另外部分地区因工程建设而乱填堵河道的情况也相当普遍,减少了水面面积,破坏了原有水系,使得区域内水流不畅,水质进一步恶化。经统计,到目前为止,金山区部分地区因道路建设、工业区开发、小城镇建设等共填堵村管河道93条段,76.06 km,约占现有河道的3.55%。

根据金山区水功能区划确定的金山区河道水功能,对浦南东片及浦南西片进行分片治理。2005年水质目标是过渡区Ⅳ类,农业用水区Ⅴ类,工业用水区Ⅴ类,景观娱乐区Ⅴ类。而目前严重污染的水质状况Ⅴ类水体以下(包括Ⅴ类)占90%,无法达到农业灌溉、工业及城市景观用水、城市供水水质要求,仅能提供航运功能,与整个上海市建设可持续发展生态城市的要求相距甚远,远不能满足城市和农村发展以及人民群众生活水平迅速提高的迫切要求。

根据《金山区水务建设与管理"十一五"规划纲要》,坚持"安全、资源、环境"协调发展,立足"五个服务",以生态、科技、效益为中心,坚持"四型八化"的郊区水利现代化目标,奋发有为,与时俱进,为加快金山区经济发展、环境建设和促进产业结构调整创造条件,加大镇、村河道水环境的整治力度,以疏浚淤泥、河面保洁、河道绿化为重点,做到底深、岸洁、水清、有绿,为全区经济发展和人民生活创造一个良好的水环境。

3 镇、村级河道整治存在的主要问题

(1)金山区镇、村经济基础相对较差,农村税费改革后,取消水利义务工、劳动积累工,为河道整治的资金筹措带来了比较大的困难。

(2)河岸两边河道蓝线内土地所有权界定不明确,在河道整治过程中常常遇到农户的阻拦,索要青苗费等。

(3)疏浚机械严重老化,金山区各排灌站现有挖泥船17艘,且大部分船龄超过15年(最后一艘由财政补助的船于1996年购买),设备的老化、缺乏使得疏浚能力大打折扣。

(4)重建设、轻管理的意识还未根本转变,在河道管理上还未形成长效管理机制,尤其在水环境整治上还需花大力气。

(5)河道管理涉及的职能部门较多,如在金山区东南部大部分河道(特别是镇管河道)都存在渔政部门将河道水面出租给个人拦河捕鱼的现象,使得河道不能得到正常的疏浚及保洁,加剧河道淤积和水质恶化。

4 镇、村级河道整治的总体构思

4.1 指导思想

以邓小平理论和"三个代表"重要思想为指导,以"安全、资源、环境"协调发展为主题,以人与自然和谐为主线,以提高人民群众生活环境质量为根本出发点,以沟通水系、扩大水面、调活水体、改善水质、保持水土、修复生态为目标,通过体制创新、科技创新和管理创新,增强公众的水生态意识,加大镇、村级河道整治建设力度,保护水生态环境,打造水生态,培育水生态,全面推进"绿色水都"建设。

4.2 建设原则

(1)认真贯彻落实党的十六届四中全会精神,坚持以建设良好的水环境和生态环境为镇、村级河道综合整治工作目标,适应城乡水务一体化和工程水利向资源水利转变的新形势,进一步完善防洪除涝保安体系、水资源优化配置和水环境保护利用三大体系,促进金山区国民经济快速健康发展,走可持续发展之路。

(2)要坚持"统一规划,分步实施,标本兼治,治管并举"的原则,实现河道整治明显改观的目标。要有选择、有重点地推进,根据《上海市水利现代化发展纲要》目标,结合金山区实际情况,计划用3年时间,分期分批地实施镇、村级河道整治。

(3)河道整治要与改善生态环境相结合,要立足于都市型农业的建设,逐步改善农业生产条件和生态环境,体现人与环境的和谐统一,促进农村经济、社会的可持续发展。通过努力争取达到四清:水清、河道清、岸清、道路清。

(4)河道规划要与本地区发展规划相结合、与城镇发展规划相结合、与水资源综合利用

保护调度开发持续发展相结合。

(5)要以自然、雅趣、节约为原则。

4.3 整治标准、方法和布置原则

镇、村级河道整治是通过自然保护或经人工物化的符合生物群落生存、具有自我修复能力、形成良性循环体系、体现人与自然和谐相处的水利工程。要体现以安全性、可靠性、经济性为基础和前提,以满足资源、环境可持续发展和多功能开发为目标,形成陆域草木丰茂、生物多样、自然野趣、水体鲜活流动、水质良好的河道,同时使系统达到多样(水生、陆生)生物物种种群互相依存、自我净化、自我修复的能力。

4.3.1 整治标准

金山区镇、村级河道整治应按照上海市河道整治标准及工作要求,根据河道规划断面进行疏浚、削坡、生态护坡建设及绿化,做到底深、坡齐、面清、岸绿,并落实河道长效管理措施,做到河面无漂浮物。

(1)河底标准:根据河道整治规划及各镇实际情况,确定河底高程(吴淞标高)为0～0.5 m,河底宽为3～6 m。实际完成疏浚断面比设计断面土方误差不得超过±5%。对护岸的坡脚要按设计要求留足滩地,不得超挖。

(2)边坡标准:根据河道整治规划及各镇实际情况确定河道边坡为1:1.5～1:2.5,整齐无杂草杂物。

(3)面清标准:落实河道长效管理措施,做到河面无漂浮物。

(4)岸绿标准:根据各镇实际,在镇级河道两岸及边坡种植价格低廉、易于养护、适于本地生长的各类植草,并落实管理措施,保证成活率达到90%以上。

(5)修建好防汛道路:为确保防汛工作的开展,在圩区进行整治时,要在泄洪河道两岸留有防汛通道,并确保畅通无阻。

(6)水质目标:各级河道水质要比整治前提高一个等级。

(7)管理目标:有各级河道的专业管理机构,建有长效管理队伍,对河道管理成效显著。

4.3.2 整治方法

河道综合整治的主要任务是疏拓、疏竣河道及绿化工程,部分区域修建生态护岸,以达到防汛、除涝、水资源调度、生态修复等目标,发挥河道的综合功能。通过对部分河道修建护岸,使护岸结构满足防汛、除涝、通航等要求;通过疏拓河道,使河道过水断面达到规划断面要求,提高河道的行洪排涝和输水能力;通过河岸水生、湿地植物的种植,提高水体的自净能力,使之最终成为水清、岸绿、整洁、有景的具有综合功能的河道。

(1)镇管河道:镇管河道是金山区河网的重要组成部分,担负着沟通主干河道及区域的引排水功能,因此镇管河道的整治是河道整治成效的关键部分。由调查数据显示,镇管河道的淤积情况非常严重,部分地区的河道基本丧失引排水功能,不但使该区域的水质和周边水环境进一步恶化,而且还使得该地区存在严重的水安全隐患。

在镇管河道的整治中采取"因地制宜、充分利用"的原则对现状水系进行疏通整治,使其达到"连、通、畅、活"的目的,从而有效调活水体、改善水质、营造良好的水环境和修复水生态。河道整治大部分河段采用常规疏浚为主,辅助河岸边坡平整后种植白花三叶草进行绿化。但是在调查中也发现,部分镇管河道由于其地理位置的因素,在河道两岸附近居住的居民较多,使得河道整治的难度大为增加,在这样的河道,可采用普通疏浚、河道局部拓宽、局

部修筑硬质护坡或亲水平台等。护坡建设优先级顺序:生物材料方法(植物),混合方法(植物与木材或石料合用),刚性材料方法(木材、石料、混凝土)。在使用混凝土的河段,用绿化措施进行遮盖。

(2)村管河道:现阶段村管河道的主要功能还是农业灌溉引、排水,所以村管河道的疏浚整治做到"三清一绿",即水面清、河坡清、河底清、河岸绿,力求生态自然型,以满足引、排为重点,符合灌溉用水标准。但是,金山区村管河道数量较多,且河道规模又偏小,大多数河道河面宽小于 10 m,还存在许多的断头浜。因此,在村管河道整治中,不能只是简单地进行河道疏浚和平坡后的种植白花三叶草,应该结合各镇编制的《水利现代化规划报告》进行河道水系的沟通及疏拓,尽可能在保障河道水面积的情况下,增加河道规模,适当减少部分河道数量,而且还要明确把河道边乱搭乱建的"五棚"清除任务和河道开掘疏浚中压废压占土地的损失补偿及矛盾协调由镇、村二级负责,并建立起村管河道的长效管理机制。

4.3.3 河道整治布置原则

(1)以中心城镇(中心村)周边水系、主干河道(道路)周边水系、主要设施农田周边水系为整治重点,以点带面、逐年逐步向周边河道辐射,最后达到共同改善河道现状的局面。

(2)以金山区水利现代化规划为基础,综合考虑林地及湖泊建设、地形地貌、河道现状等因素,尽量满足各方面要求。

5 镇、村级河道整治需推进机制和保障体系

镇、村级河道整治是金山区水务事业发展的一项重要举措,是涉及广大居民生活环境质量的一件大事,必须建立一整套法律、行政、经济、科技、教育等方面的推进机制和保障体系,以确保镇、村级河道整治工作的顺利实施。

5.1 建立健全镇、村级河道整治的政策法规体系

建立健全镇、村级河道整治的政策法规体系,首先应严格贯彻《上海市环境保护条例》、《上海市河道管理条例》、《上海市市容环境卫生管理条例》等上海地方性法规;具体实施时按照《金山区水务总体规划》、《金山区环境保护规划》、《金山区水功能区划》的要求进行规划建设。在此基础上制定与镇、村级河道整治建设相配套的专项规章制度和规范性文件,如《金山区镇、村级河道整治管理办法》、《金山区镇、村级河道整治技术要求》、《金山区水资源调度管理办法》、《金山区河网水资源调度水文水质监测技术要求和实施细则》等相应政策和办法。建设时应从工程的规划审批、建设立项、工程建设、工程管理等方面严格管理,保证镇、村级河道整治的顺利推进。另外,应加大河道的执法管理力度,落实法律责任,真正做到按程序建设,依法管理。

5.2 建立镇、村级河道整治的行政推进机制

加强领导,落实责任。镇、村级河道整治是一个系统工程,涉及土地规划、财政、水务、农业、环保、市政建设管理、行政执法等部门,并且由于涉及范围广,又是长期任务,应成立金山区镇、村级河道整治领导小组,定期联系,协调解决工作中遇到的问题。由金山区水务局牵头,财政局、环保局、环卫所、排灌所、水务稽查支队、公安局水上派出所等组成领导小组进行工作。下设工作小组(由各单位派专人参加),根据已有机构的业务范围,明确管理的责任单位,分别对有关方面进行管理,按建设原则、标准,有步骤地推进项目建设。

5.3 建立镇、村级河道整治的多元投入机制

镇、村级河道整治资金筹措实行多元化、多层次、多渠道筹措的方法。一是公共财政投入(区、镇财政),按照引导性、补助性、扶持性原则进行;二是地区和社会配套投入;三是受益者投入。

镇、村级河道的投资宜采取区财政补贴性质,建设单位资金应严格管理,自筹资金不落实,国家资金不予补贴。资金使用应符合国家规定,补贴资金核拨以工程管理合同为依据,按工程进度拨付,竣工验收后一次性结清。

充分利用金山区经济实力较强,区位条件优越,各类人才荟萃,人流、物流、信息流、资金流、技术流聚集的优势,着力营造适宜投资创业的环境,并进一步放开部分河道基础设施领域,通过产业开发吸引海内外著名跨国公司和大财团前来投资,积极吸引民间资金参与水环境治理和保护,并利用资本市场直接融资的新筹资渠道。除了现在已经采用的通过向社会公开招标吸引建设资金外,还将更多地走上市融资的道路,吸引社会闲散资金进入水环境治理和保护的投资建设和日常运行领域,使更多的国际资金为我所用。

5.4 建立镇、村级河道整治的社会宣传教育体系

对社会加强镇、村级河道整治重要性的宣传教育,树立水环境治理与保护意识,是一项长期而艰巨的系统工程。为了保证工程的效益最大化,实现可持续发展,需要全民的支持和参与,需要开展多渠道、多形式的生态环境保护宣传教育活动,提高和增强广大市民的生态知识水平、环境意识和对水环境治理的关心程度,形成公众参与镇、村级河道整治与河道保护的氛围。

镇、村级河道整治宣传教育的主要内容:一是让市民了解生态建设的重要性;二是认识镇、村级河道整治的艰巨性,了解镇、村级河道整治的范围、要求及建设目标;三是鼓励公众改善环境行为,彻底改变向河道乱扔、乱倒垃圾以及破坏绿化的不良习气,树立保护水环境和滨河绿化的良好氛围;四是发挥公众舆论监督作用,阻止破坏水环境和绿化的行为。要让市民了解政府投入大量资金用于水环境整治的情况,教育市民爱惜整治的成果,增强市民保护水环境和绿化的责任感,形成环境保护的良性循环。

开展水环境保护宣传教育的主要方式:一是充分利用新闻媒体,抓好舆论宣传导向,在新闻单位建立宣传网络,开设专栏,开展信息发布、新闻巡访等活动,在市民和社会中形成声势。二是加强对各级领导干部的宣传教育,在有关学习班中增设关于水环境整治长期性、艰巨性、复杂性的内容,提高领导干部的环境意识和责任感。三是在大中小学生中开展保护水环境的宣传教育。组织大学生参加社会调研和水环境整治的社会实践活动,组织中小学生开展水环境整治的科技小论坛和知识竞赛活动。四是开展社区的环境宣传教育活动。通过分发宣传资料、组织讲座、座谈、参观等活动,提高市民保护水环境和滨河绿化的意识,巩固水环境治理的成果。在增强市民环境意识的基础上,逐步形成公众参与的氛围,并就有关水环境整治的工程、滨河绿化带的建设方案,听取市民的意见,将工程建设的情况和建设前后的效果对比制成宣传牌设置在公共场所进行宣传。

2010年,"世博会"将在上海召开,面对紧迫的形势和社会发展的需要,既是挑战,也是机遇。我们要适应新形势,站在新起点,实现新跨越,再攀新高峰;抓住机遇,乘势而上,努力开创金山区镇、村级河道整治新局面,还金山人民一个健康、优美的水环境。

青浦区河道整治的问题与对策

邱雪妹[1]　罗　强[2]　姚凯文[3]　沈　军[1]

(1. 上海市青浦区排灌管理所,上海 201700;

2. 武汉大学水利水电学院,武汉 430072;

3. 华北电力大学,北京 102206)

1　青浦区河道的现状与生态问题

青浦区位于上海西郊,东经 120°53～121°17 和北纬 30°59～31°16′之间;东与闵行区毗邻,南与松江区、金山区及浙江嘉善县接壤,西连江苏省的吴江、昆山两市,北与嘉定区相接。

青浦区地处长江三角洲冲积平原,位于太湖流域下游。境内河道纵横交错,水流相互贯通。全区共有大小河道 1 817 条,总长度 2 155.07 km,其中,上海市管河道 7 条,长度 111.24 km;青浦区管河道 16 条,长度 127.4 km;镇管河道 150 条,长度 409.22 km;村管河道 1 644 条,长度 1 507.21 km。全区湖泊共 21 个,总面积 59.32 km²,岸线长度 91.03 km。整体上看,西部地区湖荡簇聚,东部地区水面积相比较少。青浦区为平原感潮水网地区,境内河港多受潮汐影响。本区既受上游来水影响,又受下游潮水顶托作用。

青浦区河(湖)水面积 112.46 km²,占全区总面积的 16.65%。“百河绕村镇,千桥卧河床”,极富江南水乡韵味,素有“上海后花园”的美誉。如何发挥青浦区的“水域”特色功能,让丰富的水资源为青浦区的发展和建设服务至关重要。然而,随着经济发展,大量的废污水进入水体,导致河道水体污染严重,生态问题突出,主要表现在以下几个方面:

(1)河道淤积严重。近年来,青浦区的河道淤积严重。根据水资源普查结果,镇级河道普遍淤积 0.1～0.2 m,一般河道淤积 0.2 m。河道淤积不仅降低了对涝水的滞蓄能力和防洪减灾的能力,造成河道行洪和引水灌溉等水利功能的失衡,并对水生生物的生长造成不利的影响。

(2)河道水体污染严重。青浦区水资源普查结果表明,1998 年全区工业废水排放量为 1 546万 t。其中,COD_{Cr} 2 662 t,BOD_5 876 t,氨氮 156 t,挥发酚 0.11 t,其他 30.8 t。年使用化肥量 77 311 t,主要是碳氨、尿素、复合肥等。年使用农药 532 t,主要是病虫净杀剂、除草剂等。禽畜污染而产生的污染物 41.7 万 t。青浦区生活污水排放量约为 1 328万 t。

青浦区水资源普查结果表明,1999 年汛期本区大部分河道的水体已严重污染,水质为劣 V 类。而非汛期水质状况略好于汛期,但仍以劣 V 类水质为主。其污染项目中,以 COD_{Cr}、NH_3-N 为主。区内湖泊水质整体上要比同级河道水质好些。

(3)河道两岸无植保和景观措施。青浦区的部分河道的河堤和边坡缺乏有效的保护措施,在雨水冲刷涨落潮和船行波等作用下,加上耕作和人为影响,水土流失也较严重。造成耕地表土流失,肥力下降,影响了河堤陆生生物的生长。

由于以上问题,使得青浦区的河道急需整治,有必要高起点、有创意地进行河道综合整治,以水利工程为载体,营造水绿交融的美好环境,最终实现“人水相近、人水相宜、人水相亲",体现"水清、流畅、岸绿、景美"。河道的整治需要生态水工学的思路和方法。

2 生态水工学的理念和方法

生态水工学 20 世纪 80 年代在欧美开始盛行,是伴随可持续发展战略而兴起的。它以生态学为基础,协调、支撑社会经济和生态环境可持续发展为目标,按最接近自然的工程技术手段,进行城市、农村开发建设的理念、原则、技术和管理。生态水工学在不同的国家有不同的名称,在日本称为"近自然工法"、在德国称为"河川生态自然工法"。

生态系统是指一定空间中的生物群落(动物、植物、微生物)与其环境组成的系统,其中各成员借助能量交换和物质循环形成一个有组织的功能复合体。

河流是生态系统的重要组成部分。河流、湖泊中的水与生物群落共存,通过气候系统、水文循环、食物链、养分循环及能量交换相互交织在一起。水是生物群落生命的载体,又是能量流动和物质循环的介质。水体与生物群落相互依存、相互作用,形成了江河湖泊的自净能力。水利工程学应吸收、融合生态学的理论,建立和发展生态水工学。在满足人们对水的各种不同需要的同时,水利工程学还应满足水域生态系统完整性、依存性的要求,恢复与建设洁净的水环境,实现人与自然的和谐相处。

生态水工方法在台湾和国外已广泛用于河道治理、水土保持、道路建设、开发区、农业园区和房地产开发各个领域;重点是河道治理与水利建设。

2.1 生态水工学的理念

董哲仁对生态水工学的基本理论框架进行了研究,和传统水工学比较,主要有以下特点:

(1)生态水工学是以工程力学和生态学为理论基础;

(2)生态水工学运用技术手段协调人们在供水、防洪、发电、航运效益与生态系统建设的关系,利用已建水利工程的调度、管理等手段,为江河湖库的水生态系统恢复提供支持;

(3)生态水工学在满足人们对水的开发利用需求的同时,还要兼顾水体本身存在于一个健全生态系统之中的需求;

(4)把江河湖泊中的水体看做生态系统中的重要组成部分,不但要掌握水在气候系统、水文循环中的运移转换规律,还要掌握在特定的生态系统中,特定的生物群落与水体的相互依存的关系;

(5)除进行常规的水文、地质的测验勘测外,加强相关范围的生态系统调查,重点是生物群落(动物、植物、微生物)的历史与现状调查;

(6)在开发利用水流时,明确河流与其上下游、左右岸的生物群落处于一个完整的生态系统中,进行统一的规划、设计;

(7)尽可能保留江河湖泊的自然形态(包括其纵横断面),保留或恢复其多样性,即保留或恢复湿地、河流、急流和浅滩;

(8)为当地野生的水生与陆生植物、鱼类与鸟类等动物的栖息繁衍提供条件,提供相应的技术方法和工程材料;

(9)规划设计有利于提高水体自净能力的库区或河岸、湖岸的植被种植和水生生物的放养,在充分利用当地野生生物物种的同时,慎重地引进可以提高水体自净能力的其他物种;

(10)在水利工程建设中,提倡公众对水环境保护的积极参与,工程设施要造成一种人与自然亲近的环境,注意保留江河湖泊天然的美学价值。

2.2　生态水工学的基本方法

在以上理念的指引下,生态水工学可采用的基本方法概括如下:

(1)工程与生态修复措施的结合,即使是工程措施,也要着重考虑生态系统的要求,维护生态环境的完整性;

(2)尽量维持河道、地表植被的天然形态;

(3)尽量采用利用自然、接近自然的工程方法(布置、型式、结构、材料),灵活运用生态修复(复育)、生态自净、生态再生能力;

(4)开发自然景观潜力,点缀人工文化小品,发展亲水环境,提升居住品位。

3　生态河道建设的实践

以青浦区赵巷老崧塘的治理为例,说明生态河道建设的具体实践。赵巷老崧塘河岸的治理体现了生态河道治理的思路和理念,即在确保河岸安全的情况下,通过治理和人工干预使河岸回归自然状态。

3.1　河道治理的功能目标

在赵巷老崧塘的河道治理中确定了以下5项功能:

(1)景观和娱乐功能:美观实用,使该地块的居住功能得到升值和开发;

(2)土工功能:该地块富含沙土、黏土和有机物,稳定河岸应根据当地脆弱的土壤情况进行;

(3)河流的水利功能:考虑行船造成的冲岸波浪影响和因涨水造成的水流强烈变化;

(4)生态功能:生物多样性以恢复湿地的自然资源;

(5)净化功能:水和沉积物的质量和变化。

3.2　治理的具体方法

为实现以上目标,采用以下方法:

(1)水利治理方法。建立水流扩张区、节流和扩流工程、外来河水的缓冲区、再造静水区、水流减速和转向区等。

(2)根据自然程度使用的特殊治理方法。河岸后的水平面、湿地、为动物居住建造饮水池、线条的修改、河岸再造、蒸腾区和渗透区。

(3)考虑区域内植被的作用及局限,特别是在旧的侵蚀水湾恢复湿地以便鱼类产卵。

赵河运河河岸治理的重要原则之一是恢复景观的多样性,目前在运河沿岸有完全规则区域和不规则区域多种轮廓。可以利用这种不规则区域根据不同情况对河岸进行治理,见图1。

具体措施包括:

(1)生态治理的方法。在脆弱的自然地块,根据植物的利益(需保护和促进生长的种群)和动物的利益(鱼类、鸟类、饮水点等)治理已有的和潜在的高自然价值的区域。

(2)有意识的治理方法。河岸绿化造就不同的生物生境:产卵区、湿地的不同植物种群、受保护森林。

(3)根据此区域内植被的作用和局限,对有净化作用的植物(根据净化效果和脆弱性分类)采取伴随措施(通风和排水设施等)。

(4)净化治理方法。采用外来河水自然引入的方法治理淤泥沉积区和污染物的沉积区、

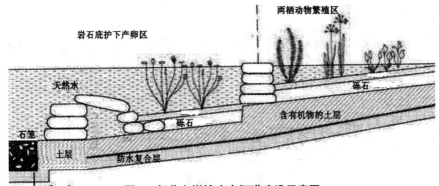

图1 赵巷老崧塘生态河道建设示意图

有机物(DBO、DCO……)富集区和过度污染区段。

(5)特殊治理方法。废弃物的缓冲湿地、清出物笼、沉积物收集区、过滤栅、岛形稳定区(充氧)等。

(6)充氧人工区:活水河。

(7)将清出物变成肥沃土壤的加工区。

4 结语

(1)本文简述了生态水工学的基本理念和方法,并以赵巷老崧塘为例进行了生态河道的设计,有关的设计思路和理念可对青浦区河道的建设起到借鉴作用。

(2)有关生态河道的建设目前还只是刚刚起步,具体的效果如何还有待进一步的实践检验。

参 考 文 献

[1] 董哲仁.生态水工学的理论框架.水利学报,2003(1):1~6

[2] 董哲仁.生态水工学——人与自然和谐的工程学.水利水电技术,2003,34(1):14~16

[3] 董哲仁.生态水工学的工程理念.中国水利,2003(1,A刊):63~66

南汇区河道生态边坡建设形式探讨

马安卫[1]　高文安[2]　蒋一鸣[1]

(1. 上海市南汇区排灌管理所,上海 201300;
2. 上海市南汇区水务局,上海 201300)

1　南汇区的自然条件、水文情况

1.1　自然条件

南汇区位于长江三角洲的东南端,东濒东海,南临杭州湾,西与上海市区隔黄浦江相望,北与浦东新区接壤。境内地势平坦,地面高程在 3.80~4.50 m 之间。属亚热带季风气候,常年平均气温 15.6 ℃,多年平均降水量 1 061 mm,四季分明,雨量充沛,气候宜人。

1.2　水文情况

南汇区属于平原感潮河网地区,属上海市水利分片综合治理的"浦东大片",浦东片的沿江沿海均有水闸控制,其内部水位基本处于人为控制状态,常水位控制在 2.50~2.80 m。南汇区水文站1990~2003 年14 年的水位资料显示:最高水位 3.69 m,最低水位 2.25 m。

2　南汇区的河道概况、水环境及边坡现状

2.1　河道概况

南汇区境内河道主要属人工开挖,为行洪、排涝、航运等水事活动服务。全区各级河道总长 7 362.4 km,其中市级河道 2 条,长 52.783 km;区级河道 29 条,长 314.75 km;镇级河道 283 条,长 723.95 km;村级骨干河道 577 条,长 796.4 km;一般村级河道 2 051 条,长 1 050.52 km;其他小沟浜长 4 423.997 km。由于工农业经济的发展,农村城市化进程的加快,再加上农村产业结构的调整以及农村居民的燃料结构的改变,造成河道的淤泥、芦苇、杂草、秸秆等无人处理而任意腐烂于河道中,长年累积,大量的村级非引水河、沟、浜被填埋,河底标高一般在 1.0~2.0 m 之间(南汇县水资源普查报告)。

2.2　水环境

南汇区的河道由于多年未进行综合治理,河道普遍淤积、引排不畅,水质有所下降,整体水环境状况较差。据上海市水资源普查公报(2001 年)显示,南汇区河道水质绝大多数属于 V 类,部分河道甚至为劣 V 类,以 COD_{Cr} 和 COD_{Mn} 污染最为严重。主要污染来自农村生产、生活污水及工业污水乱排乱放。

2.3　河道边坡现状

南汇区河道的治理处于整治启动阶段,大多数河道未得到整治,多数河道的河坡出现陡坎,局部地段边坡甚至不存在。分析其原因,可分为内因和外因两个部分。

2.3.1　内因——土质

南汇地区的土质以粉质沙土居多,土体黏性弱,东部沿海尤甚;另一方面是土体黏结力在水饱和状态下较差,土体易发生坍塌。

2.3.2 外因——外力作用

对河道边坡有影响的外部因素主要有:①雨水冲刷;②风生流;③船行波;④水体引排过程中的水流。

边坡坍塌的危害:①引起河道淤积,造成河道过流能力下降和槽蓄量减少;②岸坡坍塌对过河和沿河两岸的建筑物、农田等的安全产生影响。

3 采取的保护措施

3.1 2001年前常用的结构措施

2001年前常用的结构措施有块石或预制结构护坡和直立式挡墙。这两种结构针对南汇区土体抗冲刷性能差、航道复杂的特点,有效地保护了河岸边坡;但也存在弊端:①改变了河流自然演进的方向,影响河流复杂、有序、动态稳定的生态系统,对河流生态系统造成了胁迫,即自然河流的渠道化和非连续化;②结构硬性,割断了水与土、生物与河岸的"交流";③冷硬、沉重,影响景观效果。

3.2 近3年的生态护坡的建设

被破坏的生态环境需要修复,上海市水务局对水利建设提出要求:以生态、科技、效益为中心,力争到2010年基本形成"安全、资源、环境"协调发展的大都市郊区水利新格局。

对河流的生态要求:水流必须是清洁的;流势自然,有宽有窄,有深有浅,水流有快有慢;河中及水岸交接处有供植物扎根的土壤,河与岸保持空气、水分流通、交换,利于动植物生长。但也要保证河道必须具有一定的防冲刷能力,保护岸坡的稳定。

南汇区水务局响应上海市水务局的号召,遵循生态社会发展的要求,在河道治理中,将生态建设的理念贯穿始终,边干边学边改进,由理念变成现实,建设了不同类别的生态护坡。

4 南汇区河道生态边坡建设形式

由于浦东大水系实现群闸群控,地区的水位变化得到了有效调控,变化周期内内河水位落差变小,为南汇区生态河坡建设创造了条件。

4.1 生态植被护坡

生态植被护坡在南汇现代农业园区、东北片六灶港河道整治工程上应用,其边坡一般不小于1:2.5~1:3.0。

(1)断面形式及实例照片,见图1。

(2)特点:在土坡上直接铺种草皮和种植水生植物为主,通过草皮根系保护河坡,水生植物固土防冲及改善水环境。关键是草种选择和长效管理。

(3)施工要点:削坡、土体稳定、植草。草皮选择根系发达、耐寒、耐湿品种。铺种密实,并重视初期养护,确保草皮成活。如选用草籽撒播,则对播种季节要求较高,要选择冬、春两季为好。

(4)成本分析:全断面草皮护坡或水生植物护坡结构,成本最为低廉,每延米一般在60~120元之间。

关键在于植被类型,正确选择水位变动区及变动区以上部位的植被,注意冷暖季节性搭配合理,考虑根系固土能力以及成绿后的管理等,施工时要注意气温等因素,保证草籽的发芽率、草皮及水生植物的存活率。

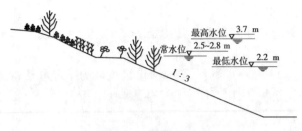

(a)全生态植被护坡断面形式

(b)实例照片

图1　现代农业园区生态植被护坡

4.2　木桩草皮护坡

木桩草皮护坡在南汇区应用最为广泛:小渤港,殷家港东段,黄华港,五号港,东北片一、二号河,六灶西南片明华港等河道上都有应用。

(1)断面形式及实例照片,见图2。

(2)特点:密排木桩透气、透水;既能挡土,又能消除风浪;出水高度以常水位为准,木桩间有缝隙,便于动物自由上下出入。

(3)施工要点:削桩,桩表面涂水柏油,打桩入土,桩顶钉横木,铺草皮(撒草籽)。木桩后面可设土工布或碎石反滤保护层,以保护桩缝隙内土体不受水流、风浪冲刷而流失。

(4)成本分析:木桩桩径8~12 cm,桩长2~2.5 m,草种可选用马尼拉、高羊茅、狗牙根等,桩下水生植物可选用菖蒲、千屈菜、红莲子等沿生及挺水植物进行布置,每延米单价为300~400元。

4.3　绿化混凝土护坡

绿化混凝土是现在国际上开始流行的多孔隙混凝土生态工艺材料,由于其具有保护环境、恢复生态、基本保持原有防护功能的特征,在日本等国家这种生态护砌逐步在各项工程中得到运用。南汇区于2005年4月开始在二级河道五灶港上进行绿化混凝土护坡初步引用,选择了100 m河坡进行了两种块体厚度、两种表层绿化和水生植物进行综合比较施工。经过4个月的努力,工程取得了初步成功,植被生长良好。

(1)断面形式及实例照片,见图3。

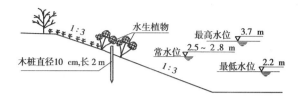

（a）密排木桩＋草皮生态护坡断面形式

（b）实例照片

图2 鲜花港木桩生态护坡

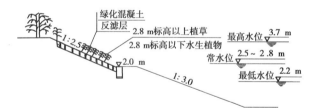

（a）绿化混凝土植被护坡断面形式

（b）实例照片

图3 五灶港绿化混凝土生态护坡

（2）特点：①满足结构安全及防护稳定特性，在水岸相交处呈柔性相接；②满足生物多样性的需求；③增强水体自净能力；④保障水体与土壤及地下水的渗透交换；⑤造价与普通混凝土造价基本相同。

（3）施工要点：整坡，准备填充材料及客土，铺设反滤层，绿化混凝土铺设，孔隙填充，客土覆盖，植被及水生植物栽培。

（4）关键技术：①预制块体要合理选择骨料粒径，在保证设计强度的前提下，尽量加大贯通性孔隙率；②应考虑绿化混凝土孔隙内（面）的碱性水环境、温度环境和湿度环境。对绿化混凝土适当增加养生，并在其后的填充材料中使用偏酸性的辅助材料，改善孔隙间的盐碱性水环境；③由于绿化混凝土吸收并蓄存太阳辐射热能，表面温度较高且风干较快，故在填充和选择植物品种时需注意；④填充材料时采用客土喷覆法，适当使用保水剂和植物生长调节剂，设法使植物根系尽快穿透绿化混凝土块体，长至土体中；⑤植物品种选择时要考虑到自然因素、使用要求、经济因素等；⑥植被建植时应注意种子的处理、播种的时期、播种量和养护。

（5）成本分析：本次施工绿化混凝土采用两种规格，一种规格是 15 cm 厚绿化混凝土结构，一种规格是 10 cm 厚绿化混凝土结构，施工长度各 50 m，面积各 250 m²。共制作 15 cm 厚 49.5 cm×33.3 cm 绿化混凝土块体 1 290 只，10 cm 厚 37.3 cm×24.8 cm 绿化混凝土块体 2 600 只。每延米在 700～800 元，随着施工工艺的提高及成本的降低，在将来越来越具有广阔的空间。

4.4 螺母块体护坡

螺母块体护坡是南汇区近几年来应用比较广泛的一种结构形式，在三团港、浦南运河上都取得了预期的效果。

（1）断面形式及实例照片，见图 4。

（2）特点：①设于水位变动区，一般在常水位上下 0.5 m 的范围；②护岸结构强度高，完全能满足保护河坡的功能；③孔隙率高，可达到 20%～30%，螺母块体的中间孔洞内可种植水生植物或播种草籽；④螺母块体结构上坡可建植被，生态效果比较明显。

（3）施工要点：整坡，铺设无纺布（要满足搭接要求），螺母块体铺设，碎石垫层及客土填充，水生植物栽培。

（4）成本分析：一般螺母块体采用 C25 混凝土，厚度采用 20～30 cm。螺母块体结构外径可取 55 cm，内径取 30 cm。南汇地区一般在标高 2.0～3.2 m 范围设置螺母块体＋水生植物护坡，在 3.2 m 标高以上设置草皮护坡和种植树木绿化，每延米价格在 1 300～2 100 元。

5 各种护坡的综合比较

各种护坡综合比较见表 1。

由表 1 可以看出，防护能力和生态效果是一对矛盾体，工程造价也随着防护等级、河道大小而变化，如何更好地协调这对矛盾很重要。在河道治理过程中要按照河道等级、通航要求、防护要求、地形地貌、周边环境选择合适的护坡形式，体现创建和谐社会宗旨和生态的理念。

6 关于绿化混凝土的几点思考及建议

在以上所列几种生态边坡形式中，绿化混凝土是一种新型的结构，由于其环保和防护功

能,正受到人们越来越多的关注。但同时也由于绿化混凝土为新生事物,从而也有一些问题
急需解决。

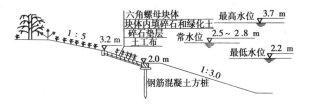

(a)螺母块体生态护坡断面形式

(b)实例照片

图 4　三团港螺母块体护坡

表 1　各种护坡综合比较

护坡形式	适用条件	防护能力	生态效果	施工难易度	长期养护要求	造价(元/延米)
浆砌块石护坡	各级、各类河道	较强	差	较难	较低	700~2 000
直立式挡墙	各级、各类河道航道最佳	强	差	难	低	800~3 000
生态植被护坡	无通航要求的,水流速度较慢的河道	弱	好	易	高	60~120
木桩护坡	无通航要求的一般性中小型河道	一般	较好	较易	较高	300~400
绿化混凝土护坡	各级河道都可使用,大型航道、水位变化大的河道慎用	较强	较好	较难	较高	700~800
螺母块体生态护坡	各级河道都可使用	较强	一般	一般	一般	1 000~2 100

6.1　几点急需解决的问题

(1)工程界暂未形成统一的相关标准,如设计标准、施工标准、检测标准、验收标准。针
对不同地区、不同防护要求、不同等级和功能的河道,采用什么级配、孔隙率与强度如何协
调、块体的尺寸、孔的尺寸、填充材料质量要求、施工中的关键技术等方面暂还没形成标准,

设计质量、施工质量很难控制。

（2）没有专业的质检机构、场所及设备。绿化混凝土最关键的一个技术元素是它的孔隙率,孔隙率关系到绿化的建植,同时和强度又是一对矛盾。如何保证孔隙率,保证孔隙能上下贯通;保证孔的尺寸,保证孔在单一块体上均匀分布,强度又能达到多少,采取怎样的方法检测(是不是同混凝土一样做试块),等等,都需有检测标准和方法,相应地需要专业的检测机构和检测设备。

（3）政府未形成指导价。因为绿化混凝土为新生事物,没有专业的标准和规范约束,在现今市场经济机制下,若面对几个生产厂家,施工单位肯定会寻求最低价,施工质量很难保证。

6.2　几点建议

（1）此种结构形式由于技术上还不是很成熟,暂不宜大范围、大面积推广。建议多进行实地试验,针对不同地区、不同土质、不同等级的河道,按不同的孔隙率、厚度进行试验,获取第一手资料,积累数据,形成标准和规范。

（2）建议形成专门课题进行研究。因此种专业性的标准研究需大量的实地试验,在此基础上积累总结,综合各种因素,等等,一般个人无法解决,应引起有关方面的重视,形成专门的研究课题。

7　结语

综上所述,在创建和谐社会的宗旨下,随着理念的更新和技术的创新,生态、低价的护坡结构形式逐步取代僵硬、高价的传统结构形式,随着新技术的产生,这种趋势将更加明显。

南汇区拥有7 300多公里的河道,是一个物种类型丰富的淡水水域,经过不断的综合整治,河道防汛安全承载力逐步提高,对生态功能的恢复、建设的理念不断深入人心。人们对周边地区的生态环境、生态功能提出了更高的要求。因此,河道整治中强调水利工程满足人类社会安全需求的同时,更应兼顾完善水域生态系统的健康性和可持续性,尽量减少对河道生态系统的胁迫,充分重视河道生态系统保护与恢复的问题。

南汇区的生态河道建设取得了一定的成绩,创造了良好的生产、生活、居住环境。在今后的河道治理过程中,将进一步贯彻生态理念,为上海创建和谐社会作出贡献!

参 考 文 献

[1] 董哲仁.河流生态恢复的目标.中国水利,2004(10)

[2] 钱德林.生态治河理念与设计思路探讨.中国水利,2004(11)

南汇区中小河道长效治理的探讨

蒋一鸣　马安卫

(上海市南汇区排灌管理所,上海 201300)

近二三十年来,由于人们对环境问题的忽视,使得环境与经济的关系日益失调,上海市郊乡村中小河道的疏浚工作处于无人过问的状态,乡村中小河道实际上已经成为各种废物、垃圾的天然填埋场,水质从量变到质变,从清流到黑臭,河道从污染到填埋,最后直至消失。凡此种种都是当前都市城郊中小河道现状的真实写照,要彻底扭转这种局面,实现环境与经济的互动、协调发展,必须从经济运行和制度层面来考虑。

1　南汇区中小河道的现状及问题

南汇区地处长江三角洲东南端,位于上海市东南沿海,全区有市、区、镇、村各级骨干河道 2 942 条,总长度为 2 944.56 km,河道面积 58.71 km²,河面率为 8.54%。

南汇区河道的污染从地域分布看,各村镇结合区域的河道环境状况最差。从污染源分析,两岸单位、居民的生产、生活垃圾是河道污染的主要来源。当前中小河道的污染问题主要集中在以下几个方面:①河道多年不疏浚,淤塞严重,造成河床抬高,加上闸门常年关闭,使水无法流动;②大量生活污水、畜禽粪便和工业废水未经处理或处理不达标就直排河道;③由于缺少收集处理系统,农村地区居民的生活垃圾被随手丢弃河中;④近郊河道两岸由于外来人员的居住,河道被填埋、污染等情况较普遍。南汇区河道环境状况不断恶化有诸多原因:

(1)农田面源污染。化肥和农药的大量使用、秸秆被丢弃入河、农田泥土经水蚀进入河道等都对近田河道的水质带来严重影响。

(2)生活污水及生活垃圾进入河道。农村没有统一的纳污管道,生活污水直排入河,城镇外来人口聚集,而且流动性很强,一般不会在同一地久住,难以管理,特别是生活垃圾随意丢弃。在江南还存在特有的住船,他们把生活废弃物直接排入河里。近些年来,普遍存在城镇房地产开发势头过猛,包括新修住宅小区和旧房改造。由此而产生大量的建筑垃圾,对其处理缺乏有效的途径,郊县村镇的做法一般是用于填埋河道。

(3)企业、酒店、工厂污水直接排入河道。村办企业一般规模都比较小,没有专门的污水处理设施。目前的城乡二元结构使得村和企业在利益上联系过于紧密,村为自身的利益最大化而默许村办企业将污水直接排入河道。

2　河道长效整治措施探讨

2.1　长效的河道疏浚制度构建及其完善

当前,河道疏浚大多是一种政府行为,"上面"抓了,风声紧了,于是疏浚一下,事后任其污染,要真正实现河道的长效整治,必须给予河道疏浚主体应有的经济激励,使疏浚主体和受益主体在经济上分离,河道疏浚所产生的价值必须实现。目前,南汇区人民政府根据党中央关于科学发展观和构建和谐社会的总体要求,为配合、服务南汇区的大开发、大建设,改善南汇区的水环境,为人民群众创造良好的生产生活条件,促进经济社会全面、协调、可持续发展,拟用三年时间对全区的区、镇、村骨干河道进行综合整治,把全区建设成面洁、底深、水清、岸净、有绿、流畅的生态循环型河道。

2.1.1 河道疏浚的效益分析

(1)社会效益:①河道疏浚后能增加河道蓄水量,更好地解决农田灌溉用水、工业生产用水及居民生活用水,减少用水矛盾发生;②河道疏浚能加大水上运输能力,促进航运事业发展;③河道疏浚能改善水质,美化水环境,使城市居民生活用水质量大大提高,使生活用水更清洁卫生,减少各种流行疾病的发生。

(2)经济效益:①河道疏浚能够降低洪水位,减轻洪水所造成的直接经济损失,减少各项水毁工程的资金投入;②河道疏浚能减轻洪水对两岸堤防的威胁,并能直接减少抗洪抢险物资的消耗,包括桩木、毛竹、草包、编织袋等,能减少抗洪人员投入,为国家和集体节省资金;③河道疏浚改善农业灌溉条件,充分发挥排灌设施的作用,就近灌溉,降低供水成本;④疏浚本身所带来的河道生物、河道底泥再利用产生的经济收益。

2.1.2 河道疏浚效益的价值实现

从上面的分析可以看出,河道疏浚的效益是明显的,但与之伴随的另一特点是弥散性,这一特点导致效益的受体不确定或过于宽泛,从而给这种效益在市场上的实现带来了困难。那么要保证河道疏浚转变成一种长效行为,必须在经济上给予其与效益相当的补偿,使它所产生的效益真正能在经济上得以实现。

河道疏浚所产生效益的价值应通过两种不同的途径来实现。对于诸如河道水生生物、疏浚底泥、灌溉用水、航运等方面的效益应通过市场来实现,而有些效益更多地表现为政府支出的减少或公众受益,如改善环境、减少疾病传播、防汛泄洪等,这类效益应通过政府的转移支付来实现,因为受益者是公众,那么支付者当然应该是公众的代表——政府。

2.2 区河道整治发展方向

(1)区河道整治应与生态卫星城镇建设紧密结合,城镇滨河生态系统是城镇生态系统的重要子系统,所以区河道建设与河道整治已经成为生态城镇建设与城镇生态恢复的一个重要组成部分,是城镇规划建设的一项重要内容。区河道建设与河道整治包括城镇河道水环境、水边(即滨水空间)环境及水陆生态系统的建设与恢复。城镇规划建设时,应着重考虑对河道进行生态治理,改善水质,恢复河清水澈的秀美风光。同时,城镇规划建设应以生态学原理为指导,强调生态优先与整体优先的原则,协调好人与滨水自然环境、人与滨水人工环境、人与滨水自然景观等关系,使河道生态环境呈良性循环。

(2)区河道整治应与城镇可持续发展紧密结合,城镇河道及滨河生态系统的好坏直接影响着城镇经济、资源、环境等多方面的发展。18世纪末期,英国产业革命后,伦敦人口迅速增加,大量的工业废水和生活污水排入泰晤士河中。19世纪开始,泰晤士河逐渐变成河水浑浊、污染严重的臭河。到了20世纪50年代末,泰晤士河污染更加严重,它的含氧量等于零,河水污染引起疾病流行。1964年英国开始对泰晤士河进行治理。30年来,泰晤士河的污染已减少90%,河水逐渐变清,水质明显改善,水生生物数量不断增加,1979年已有104种鱼类在河中畅游,成群水鸟在河面上飞翔觅食。泰晤士河重新成为伦敦的一道风景线。

(3)利用非工程性措施改善城镇河流生态是研究的新方向。利用河流的水动力特性进行水资源调度和利用河道本身的自净功能与生物的净化功能改善水质、提高水环境承载能力是研究的新方向。利用河流的水动力特性，特别是感潮河质，通过河道、河底及坡面表层泥面生长的大量微生物、藻类、水生动植物形成的自然生物膜净化水体，提高河道本身的自净能力，达到改善水环境的效果。

(4)复式生态河流断面为现代城镇防洪规划提出了新理念。近年来，荷兰人提出"还河流以空间"的新理念，使河流在流量、泥沙输移、宽深比等方面达到动态平衡。作为城镇防洪的对策措施，在国际上已经非常重视"堵疏结合、蓄泄并重"的治水理念，给河流以空间，增加河流的过水断面，给洪水以出路。近年在国内提出的兼容人类亲水性、生态性和河道蓄水防洪功能为一体的复式河流断面，是兼亲水、生态与蓄水防洪功能为一体的复式河流断面图。

2.3 新技术、新工艺的设想

在河道整治过程中，疏浚出大量的淤泥，如果能充分利用这些"废品"，既能节约不少资金，又能保护环境。在传统的河道疏浚过程中，常常把清理出的淤泥找个空地堆放起来，没有达到变废为宝的目的。

如何处理城镇河道清理出的淤泥，存在着两大问题：一是运输；二是清出的淤泥向何去。目前用得较多的办法是将淤泥堆场集中填埋，除了少量用于回填外，很少将其加以利用。这种方法一方面耗费大量的运费，另一方面将淤泥作为纯粹的废弃物抛弃无疑是对资源的极大浪费。对于很多城市尤其是像上海这样发展速度惊人的大城市，一方面每年河道治理向外输出大量淤泥，另一方面每年又需要输入大量的建筑、绿化用土，能否将二者联系起来呢？淤泥由于其本身的高含水量等问题不能直接作为建筑和绿化用土，如果能够对淤泥进行相关处理，变废为宝，既能够降低淤泥的处理成本，避免二次污染，又节省了资源，这对于城镇的发展无疑是一个巨大的贡献。使淤泥成为合格土方主要是对其进行脱水固化处理，少数含有毒元素的也需要作分离有害元素处理。河道淤泥一般具有颗粒较细、渗透率低、有机质含量高等特点，采用自然脱水固化的方法周期较长，必须要采用人工方法加速这一过程。这里值得介绍的是河海大学张志铁教授的淤泥处理专利方法"低位真空预压法"。该方法周期短，淤泥处理量大，具体做法是：根据河道清淤工作及需土单位的分布情况，从便于运输的角度选择一块场地作为淤泥处理场，将淤泥集中后采用"低位真空预压法"对淤泥进行脱水处理，待含水率达到相应要求后出场。处理后的合格土方主要有以下用途：沙土质处理土承载能力较高，作为建筑用土；有机质含量较高的土可以与园艺部门联系作为绿化土之用；如果淤泥的处理量供大于求，还可以将一部分淤泥质土用于造砖、制陶器等。

2.4 通过河道治理后的后续管理来保证工程效益

(1)首先要改变"重建轻管"的做法。建设是硬任务、硬指标，管理是软任务、软指标，一般来说，建设资金通过多种渠道总能落实，但管理经费却是老大难，现在从国家到市、区关于河道管理的法规、条例、办法不能说不完善，但河道管理状况为何总是不够理想？除了与城乡水务统一管理机制尚未形成有关外，一个重要原因是管理经费很难落实，任何管理措施除了依靠政策法规，更主要是要有人员和经费保障，否则只能是空话。

(2)河道管理必须走专业管理与群众管理相结合的道路。南汇区水务局通过"走上街头、深入乡村"加强水资源知识和水法规宣传力度，增强城镇居民爱护河道的自觉性，树立"人民河道人民管，管好河道为人民"意识，让全社会都来关心河道，保护河道，让市民都自觉成为河道管理的主人，建立激励机制，积极引导群众参加河道管理工作。同时，区水政所加大水政执法力度,加强巡查,对水事违章行为及时、严肃地查处。

(3)配套管理措施及时跟上。工程措施仅是河道整治的一个主要方面,工程措施完成后,一些配套措施要及时跟上。①沿河设置垃圾箱,落实专人负责清理。随着人民生活水平的提高,乡村居民生活垃圾多样化、白色化,这些垃圾无法作为肥料被农田利用,沿河居民自然而然地把河道作为垃圾场,指望水流能把垃圾带走消化掉,如果沿河环卫设施和人员不能配套落实,就很难确保居民不乱倒垃圾。②一部分乡镇明确责任,成立了河道保洁社,有专门的河道保洁人员进行日常管理保洁,负责清除杂草和水面漂浮物,来保持河道整洁。目前我区共有保洁人员 462 名,河道保洁社 20 个,担负着全区所有的市、区、镇级河道的保洁,村级河道保洁率也有 80% 以上,宅前、宅后园沟结合文明村创建也有部分进行保洁。

(4)水环境改善要着眼控制污染源。城镇河道水污染主要来自未经处理的工业污水、居民生活污水以及含有残余农药和化肥的田间排水。河道疏浚仅仅能达到清淤的目的,但不能从根本上改善水质。河道水质的根本改善有赖于污水处理系统的建设和完善,同时还有赖于完善相应的法规和管理机制,加强对工业废水和生活污水排放的管理监督,坚持达标排放。

3 结论

以上是笔者在南汇区中小河道整治过程中的一些思考和探索。对于整个河道综合整治工程来说,我们需要做的工作还不够,还需要进一步总结探索。在达到“防汛、排水、治污”三结合要求的同时,把全区建成面洁、底净、有绿、流畅的生态循环性河道。只要坚持按照“安全、资源、环境”的要求进行河道整治工作,就一定能达到我们的目标。

参 考 文 献

[1] 刘友兆,王永斌.土地整理与农村生态环境.农村生态环境,2001(3):59～60
[2] 张建平,李永放,张文斌.浅析中小河道功能衰退的成因和处理对策.浙江水利水电专科学校学报,2000(2):22～24
[3] 黄肇叉,杨东援.国内外生态城市理论研究综述.城市规划,2001,25(1)

河道疏浚技术在郊区河道整治中的应用

王 卫

（上海市水利排灌管理处，上海 200011）

河道是水资源的基本载体，是防洪、排涝、引水、灌溉、航运、供水、水资源调度和水环境改善的基础，河道的过水面积、槽蓄容量等指标对于土地利用、防洪排涝能力的评估、水资源调度能力的分析、河道纳污能力的计算等均具有十分重要的作用。

上海市境内河网密布，大小河流纵横交错，现有河道 2.38 万条，河道总长度为 2.16 万 km，每平方公里内有河道 3.41 km，水域面积（除长江口外）687.7 km²，占全市总面积的 11%。

随着上海城市化进程的加快，河道的淤积和人为填堵现象十分严重，导致河床抬高，河道过水面积及调蓄水量日益减少，防洪排涝能力、航运能力和水环境质量下降。经 2001 年上海市水资源普查报告显示，全市河道淤积量总计 1.45 亿 m³，其中区（县）级以下河道淤积量占总淤积量的 83.41%，，因此疏浚河道的工作重点应放在区（县）级以下的河道上，才能显示出疏浚的明显效果。

淤积的主要原因是河道多年不疏浚，淤塞严重，闸门常年关闭，使水不能自然流动，自净能力弱。郊区畜禽场的粪尿污水大部分未经处理、工业废水处理设施运转不正常；生活废水大多未经处理直接排入河道，村镇的生活垃圾大部分未建收集处置系统，外来人员的居住地疏于管理，从而造成河道被垃圾、污水所填埋和污染，成了天然垃圾场和排污沟，长年流淌着黑水，使河道丧失其原有功能。

从 1998 年开始，上海将河道整治作为环境保护和建设的重点内容，根据"统一规划，分步实施，标本兼治，重在治本，条块结合，以块为主，注重实效，治管并举"的要求，按照"清、疏、拆、建、绿、调、管"的标准，对本市河道进行综合整治，使整治后的河道基本上做到了"面清、岸洁、有绿"。常年疏浚作为其中的主要措施之一，在河道综合整治工作中起到了积极的重要作用。本文从郊区河道整治中实施河道疏浚技术出发，分析河道疏浚的关键技术，在方法的选定、设备的采用、施工中的质量控制、测量、竣工验收、疏浚后的淤泥处理等方面进行探讨，从而为保持城市资源与环境的可持续发展提供参考。

1 河道疏浚技术

疏浚作为一门古老的技术，在中国其年代可追溯到公元前数千年，而作为一门新兴的科学（Dredging），却是伴随着欧美的航运事业发展起来的。目前在国外，美国、日本、德国、荷兰等国对于港口航道的疏浚已普遍采用大型高效挖泥船，我国在清淤固堤的长期实践中也积累了一定的经验。

疏浚工程是采用人力、水力或机械方法为拓宽、加深水域而进行的水下土石方开挖工程，称为疏浚工程。疏浚工程由来已久，古代疏浚工程是靠人力使用简易的手工工具进行的，后逐步为机械所替代。现今机械方式通常使用挖泥船。

疏浚工程的主要目的是挖深河流或海湾的浅段,以提高航道通航或排洪能力;开挖港池、进港航道等以兴建码头及港区。近百年来,疏浚工程已进一步扩展到其他基础施工领域,其中最主要的是充填造陆工程。充填就是将挖泥船挖取的泥沙,通过排泥管线输送到指定地点进行填筑的作业。由此可见,疏浚工程对国民经济的发展,特别是对水上交通、水利、防洪、城市建设等的作用是非常重要的。

1.1　河道疏浚的方法

现今的河道疏浚工程并不少见,所采用的方法也有很多,有水下疏浚,有干河疏浚,有依靠水力疏浚,也有采用爆破等手段疏浚。

就疏浚技术现状来看,主要包括工程疏浚技术、环保疏浚技术和生态疏浚技术等。就技术的成熟度和采用率而言,其中的工程疏浚技术居首,环保疏浚技术是近年来开发并且已进入大规模采用阶段的成熟技术,生态疏浚技术则是最近提出并且在局部实施的新技术。

上海市郊区河道疏浚的方法主要是水下疏浚,采用的技术主要为工程疏浚技术,环保疏浚技术和生态疏浚技术正处在蓬勃发展阶段,上海市水利协会 2004 年组织专家对全市有代表性的 8 个区域进行调查和考察,认为一批水生态修复技术已经取得了较为成功的经验,现正在逐步推广。

1.2　河道疏浚的主要设备

河道疏浚技术是个复杂的系统工程,对一项具体的河道疏浚工程,应综合考虑工程的地理环境、水体特征、污染物的种类、含量等工程特性并有针对性地进行设计,工程特性不同,所采用的疏浚技术、设备及方法也不同。中国疏浚业历史悠久,已有 100 多年的历史。1895 年荷兰 IHC 公司就为中国建造了挖泥船。今天中国的疏浚能力已位居世界前列,主要疏浚力量分布在交通、水利等部门。水利系统在江河湖泊的治理中,在农田水利建设中,机械疏浚力量已形成了一定的规模,据调查,目前在长江、黄河、海河流域共有近 200 艘挖泥船,年设计疏浚能力为 6 000 多万立方米。自 20 世纪 70 年代以来,美国、日本及欧洲的一些发达国家就开始投入大量人力、物力致力于环保疏浚技术的研究,并取得了一定成果。尽管各国常用的疏浚技术与设备各有特点,但大体上可分为:链斗式挖泥船、绞吸式挖泥船、自航耙吸式挖泥船、抓斗式挖泥船、铲扬式挖泥船。

上海市郊区河道疏浚现主要使用的是泥浆泵冲、抓斗式挖泥船抓挖、两栖式挖泥船抓挖等多种方式。全市各区县建立专业施工队伍,依靠机械化进行常年疏浚,同时建立了水面保洁队伍、专职保洁员,使全市的河道整治工作取得了明显成效。

2　河道疏浚的质量控制

结合上海市郊区河道整治中的实践和经验,在河道疏浚过程中狠抓了以下几项工作。

2.1　注重工程实效,强化质量管理

在建设过程中,各级水利部门把质量管理贯穿于工程的设计、施工、验收等每一个环节,严格实行施工招投标制、工程质量监理制和项目法人制,完善质量安全管理网络。市水务局作为全市水行政主管部门,切实加强检查督促,专门成立了郊区水利建设专项工程验收考核小组,购买了专门的检测设备和仪器对各区(县)的区(县)级、镇级疏浚的河道进行抽查复测,保证工程质量。

2.2 严格考核制度,制定奖惩条例

市政府将河道整治作为环境保护和建设的重点内容,1998 年成立了上海市河道污染综合整治领导小组,制定了《上海市河道污染综合整治三年目标和计划》。从 1998 年开始,市水务局每年安排冬春水利河道疏浚计划,主要针对镇、村级河道的淤积问题而开展。并组织验收考核小组,制定详细的考核标准,分区(县)进行考核打分。另外,各区(县)水务部门根据财力状况,每年均要安排一些小型农田水利建设,其中就包括镇、村级河道的疏竣任务。这些工程的实施改善了郊区河道的淤积状况,提高了排涝调蓄的能力。市水务局在每年的冬春水利大检查中把疏浚河道的合格率作为评定的依据,并作为年度冬春水利考核指标之一,对优胜者进行财政奖励。

2.3 河道淤积量的确定

河道淤积程度是考核区域河道现有河床深度与设计河深之比,它是衡量河道的过水能力与水土流失状况的指标。河道深度小于设计断面 70% 定为淤积河道。

在河道疏浚前,必须对河道的淤积量进行计算。

由于河道自然沉积或人为因素的影响,导致河道河床淤积、槽蓄减小,淤积量反映了河道的自然规律和河道管理水平。上海境内河道除天然河道以外,还有相当一部分人工开挖河道,两者淤积量计算有所区分。

(1)人工开挖河道,其淤积量等于河道开挖时(疏浚后)的河道大断面面积与现状实测河道大断面面积之差乘以该断面的河道控制长度的总和。即:

$$W_{淤积} = \sum [(S_{i开挖} - S_{i现状}) \times L_{i河道}]$$

(2)自然河道,其淤积量的测量和计算较为困难,除采用人工淤积测量(对中小河道采用五点法)方法外,还采用河道规划断面与实测断面相拟合的方法确定河道的淤积量。

2.4 河道开挖量的确定

开挖量指河道规划断面与现状断面面积之差乘以该断面河道控制长度的总和,即:

$$W_{开挖} = \sum [(S_{i规划} - S_{i现状}) \times L_{i河道}]$$

若是人工开挖河道,其开挖量等于淤积量;若是自然河道,则一般规划断面大于现状河道断面,其开挖土方量大于淤积量,因而产生部分实土开挖土方量。各区(县)在河道整治过程中一般按照河道的规划断面进行整治,故开挖土方量是区(县)河道整治的重要参照数据。

2.5 河道规划断面的确定

在郊区河道整治中,河道规划断面主要考虑堤顶高程、河底高程、边坡系数,结合上海市郊区河道疏浚的经验,确定河道规划断面应满足表1~表3所列条件。

3 河道疏浚工程的施工测量

河道疏浚工程的施工测量是保证疏浚质量的关键一步,包括下列内容:施工控制系统的

表 1 堤顶高程标准

圩区级别	内外河	堤顶高程(m)
一级圩区	外河	4.5
二级圩区	外河	4.2
二级圩区	内河	4.0

表 2　河底高程标准

河道级别	河底高程(m)
区(县)级	0
镇(村)级	0.5

表 3　各种土质条件下的河岸边坡系数参考值

土质	边坡系数
黏土地区	1:1.5
壤土地区	1:2
含粉沙土地区	1:2.5

建立;疏浚河道中心线定线;细部轮廓定点放样,施工过程中的水上、水下地形、断面测量,工程量计算;工程竣工验收测量等。

测量程序为:首先通过测量现有的河床断面,与设计断面相比较,确定开挖土方量、开挖的深度;通过设计适宜的河道纵比降和横断面,进行施工放线并以号桩为标志;再根据工程受益情况合理摊派工程量。施工完毕后,根据"信桩"进行验收等。

河道疏浚工程施工水深测量是在冬春水利验收中河道复测常用的一种测量方法。在实际操作中应与水位观测配合进行,测量的仪器通常使用水尺、测深杆、铅锤及回声测深仪。测量中误差应满足规范要求。为避免测量系统误差,要求施工前、施工中及竣工验收时使用同一种测量方法。

工程竣工验收测量后绘制河道疏竣竣工段断面复测图,判断是否达到设计要求标准。图 1 为测量后绘制的上海市金山区区级河道疏浚竣工段断面复测图。

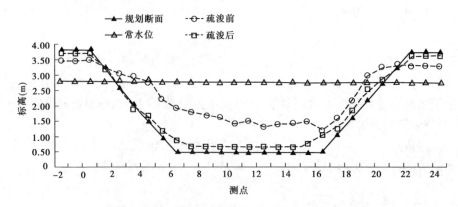

图 1　上海市金山区区级河道疏浚竣工段断面复测图

4　河道疏浚工程的竣工验收

疏浚工程完工后应按现行的《水利基本建设工程验收规程》执行,疏浚工程的竣工验收测量应按现行的《水利水电工程施工测量规范》中的有关规定进行。

(1)施工单位将竣工报告、竣工图纸、工程量计算表等原始资料提交给建设单位,由建设单位组织进行检查验收。

(2)测量验收时,根据河道断面大小、所属等级,分期分段验收,对已开挖部分河槽应及时进行水深测量,发现欠挖超过允许值时,应及时进行返工处理。

(3)竣工验收的土方量的结算,宜以水下挖方量为准,但超过规定计算超挖值的方量属无效方,不应计入完成方量。

5 河道疏浚的淤泥处理

上海郊区中小河道疏浚产生的大量淤泥,是令水利部门大伤脑筋的一大难题,不仅占用了大量耕地,还要赔偿青苗费、土地平整费等,大大提高了河道疏浚的成本。

国外淤泥的加工工艺非常成熟,淤泥不仅可以用来铺路,还可以制成燃料、发电发热等,全世界已有80多个国家的170多个城市拥有专门的淤泥开发利用机构,年利润高达60亿美元。

我国淤泥的处理正处在探索、起步阶段。上海在郊区中小河道疏浚实践中,采取市场化手段,因地制宜,摸索出解决疏浚弃土的多种形式,对淤泥的处理起到了重要作用。

一是卖土还泥,以土养河。在河道疏浚中,一些地方根据本地泥土适宜于制砖的实际,按照河道疏浚规划,报经有关部门批准后,在河道两岸离河岸5 m左右的地方,有计划地先行取土,根据疏浚土方量形成一条宽约4.5 m、深约1.25 m的壕沟,然后将取出的泥土卖给砖瓦厂,而疏浚上来的淤泥则直接填补在沟里,并加以平整,既达到对土地资源的综合利用,又能有效保护良田,还可开辟河道疏浚资金渠道,提高经济效益,减轻农民负担。

二是泥浆灌田,肥田沃土。河泥中富含氮、磷、钾元素,是一种很好的有机肥料。在河道疏浚中,可把河泥稀释、过滤,再用泥浆泵直接输送到稻田里,进行肥田沃土,既可有效解决大量弃土,降低疏浚成本,又能改善土壤质地,增强土壤肥力。这种方法的适用性较广,凡河泥中杂质含量少,且又方便泥浆输送的地方均可采用。操作中要注意泥浆均匀输入,厚度控制在10~15 cm,每公顷输入泥浆1 000~1 300 m³,待泥浆沉实后,插入秧苗,绿肥田不再施化肥,冬闲田每公顷仅施380 kg左右的氮肥即可代替20 t的绿肥。

三是平整土地,盘活利用。在河道疏浚中,可把泥浆用来平整土地,使闲置的土地资源得到盘活利用。

四是抬高田面,抗涝保收。针对一些地方因地下水超采而造成地表沉降、农田无法耕种的实际,可以采取河道疏浚与治理田面沉降相结合的方法,抬高田面,改善农田的耕作条件。

参 考 文 献

[1] 疏浚工程施工技术规范(SL17—90)

[2] 明宗富.疏浚工程学.武汉:武汉水利电力大学出版社,1993

[3] 刘志.中国疏浚业现状与发展分析.水利经济,2003(3)

生态工程护坡技术研究

曹卫峰　陈　岗　刘　骅

(上海市松江区排灌管理所,上海 201600)

1　概述

生态工程护坡是基于生态工程学、工程力学、植物学、水力学等学科的基本原理,利用锚固土工网等工程材料,在营养土上种植灌、草植物,通过植物的生长活动,在坡面构建一个具有生长能力的功能系统,借助生态工程系统的自支撑、自组织与自我修复等功能来实现边坡的抗冲刷、抗滑坡和生态恢复,以达到较少水土流失、维持生态多样性和生态平衡以及美化环境等目的。

过去城市堤岸建设,仅是加固堤岸、裁弯取直、修建丁坝等工程,满足了人们对于供水、防洪、航运的多种经济要求,但没有从发挥河流自然生态、休闲娱乐、景观、提升城市形象等综合功能的角度来考虑。这些堤防工程给人们带来巨大效益,但同时也改变了城市河流的结构和功能,造成一些生态环境问题。

城市生态堤岸设计已引起了全国水利工程界的普遍关注,堤防设计要考虑河道生态,接近自然景观,不破坏自然景观。考虑生物的多样性与城市景观多样性之间的关系,为不同生态习性的动植物创造不同的生态环境,以实现动植物的多样性。最大限度地发挥生态环境综合效益,促进人与自然共同可持续发展。

生态堤防地绿化带可发挥涵水保土的作用,绿地将改善大气、水体和土壤的质量,将大大改善生态环境和人们的生活质量,沿岸景点的建设将增加周边环境的文化氛围,实现良好的社会效益和生态效益。

生态护坡建设,需要注意以下原则:①安全性,即满足城市防洪的要求;②自然性,指河流景观要体现河流的自然形态,尽量减少对天然环境的破坏;③生态性,指河流景观应满足生物的生存需要,适应生物繁衍生息;④景观性,指任何河流景观都应考虑其视觉景观上的审美要求;⑤亲水性,应提供更多位置能直接欣赏水景、接近水面;⑥整体性,指堤防与周围的环境亮度相差不应很大,使得生态堤岸与自然有机融合;⑦系统性,指要注意堤岸周边大环境的维护和改善,特别是水质的改善,是实现生态堤防的重要保障。

2　非生态护坡技术对生态环境的影响

2.1　非生态护坡结构形式

长期以来,人们比较注重河道本身的功能,如行洪、排涝、行船等,一般河道断面形式单一,走向笔直。河道护坡采用比较坚硬的浆砌石、干砌石、现浇或预制混凝土块体以及土工模袋混凝土护坡等形式。

2.2　非生态护坡对生态环境的影响

非生态护坡形式是在一定历史条件下形成的,它在稳定河道、行洪排涝等方面发挥了较大作用,但其在对保护水的自然清洁和维持人与环境的和谐方面影响较大。

2.2.1 对景观环境的影响

整齐划一的河道断面、笔直的河道走向,固然是一种景观,但是它与现代人们追求的回归自然的理念不相一致,与现代城市河道周边无论现代或古典的建筑艺术都极不相称,与周围环境也极不协调。无论块石还是混凝土都是坚硬、耐压的无机材料,上面不长一草一木,铺到哪里,哪里即是灰白色一片,缺乏生机,一旦这些结构老化破损,就形成河边建筑垃圾,环境景观受到影响。

2.2.2 对生态环境的影响

非生态护坡采用的是封闭护坡形式,河道中的生物和微生物失去了赖以生存的条件,因此河道的自净能力遭到了破坏。同时各种水生植物也难以在坚硬的结构坡面上生长,各种水生动物也因此失去了生存空间,整个生态系统的生物链被断开,生态失去了平衡。更有甚者,河道护坡和护岸结构还采用全断面护砌的结构,对生态环境的破坏就更加严重。大量采用这种护砌方式会使城市地面形成一层不透水的薄壳,时间久了会造成城市地下水位大面积降低,建筑物下沉,危害更大。

3 生态护坡技术

在科学技术飞速发展的今天,新型材料和新技术必将作为河道护坡和护岸结构改造的主要源泉。在国内外相继出现了一批用于生态方面的材料和技术,如植被草、水力喷播植草技术、土工材料绿化网、植被型生态混凝土等。虽然它们起源时不一定用于河道护坡和护岸结构方面,但在河道护坡使用上可以借鉴和参考。

3.1 上海市松江区新浜镇概述

松江区位于上海市西部,北西两面与青浦区相连,东邻闵行区,南接金山区,东南角与奉贤县接壤。总面积605.64 km²。新浜镇位于松江区西南端,北与青浦区接壤,西南与金山区毗邻,东与五库镇相连。全镇总面积44.73 km²。新浜镇水土保持生态建设示范区位于新浜镇的核心区域,以新浜镇为中心,南起香塘港、北至南弯港、弯良泾一线,西接白牛塘,东邻菇塘,占该镇总面积的65%。共涉及河道21条,总长度约70 km。

新浜镇位于北亚热带南缘,是东亚季风盛行区,受冬夏大陆季风和海洋季风的交替影响,四季分明,日照充足,气候温和,雨水充沛,无霜期长。常年平均气温15.5 ℃,多年平均降水量1 228.3 mm,多年平均日照时数为2 025小时,无霜期220天左右。

新浜镇所属的松江区位于长江三角洲前缘河口滨海平原,太湖流域东邻跌形低洼地区。均为第四纪沉积物所覆盖,其厚度在300 m左右。示范区地势低洼,地形水文条件在平原感潮水网地区具有一定代表性。地面高程3.2 m以下的低洼地占总面积的80%,土体属湖沼相沉积的黏土类型,上层土壤以青紫为主,犁底层渗透系数为0.100 5 m/d,给水度0.058 6,饱和含水量为51.4%,具有通气性差、持水性强的特点。

3.2 生态工程护坡典型断面

生态工程护坡新技术有三个:一是生物型护坡,二是结构与生物结合型护坡,三是结构、生物和景观结合型护坡。

3.2.1 生物型护坡典型断面

生物型护坡典型断面见图1。东片1号河处于新浜镇三高农田示范区内,全长2 172

m,是今后该镇发展绿化、生态、高效农业的重要基地,以建设生物护坡为主,对河道边坡修整后,在日常水位1.5 m以上至3.5 m之间种植黑麦草和罗米克斯,以满足当地发展养殖业的要求,播种量以30 g/m²为宜,在堤顶种植杉木、香樟、夹竹桃,株距2.5 m混植,并在三高农业示范区内加强农田林网建设。

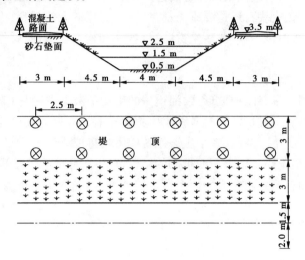

图1　生物型护坡典型设计示意图

3.2.2　结构与生物结合型护坡典型断面

在日常水位和灌溉引水水位之间沿河坡纵向每隔4 m布置一根混凝土柱(锚固桩),可采用现场浇筑和夯入河坡的施工方法。桩顶部设置一道混凝土梁,沿河坡纵向布置(纵梁),纵梁和锚固桩之间用预埋的钢筋连接。纵梁施工可采用在河坝上挖槽现浇的方法。工程处理方法如图2(a)所示。

在整治达标的河坡段,沿纵梁以上铺设六边形混凝土框架,框架内回填熟土并整平,即可播撒黑麦草种或移植其他护坡植物。

典型断面见图2(b)。西片横河南岸堤顶为泖新公路,西片1号河、2号河两岸沿线路边种植香樟、杉木、紫薇等绿化树种,边坡种植黑麦草。河坡底部水位变动浅水区受渗透河水位变动影响,极易造成土坡坍塌、局部窝崩。由此造成上部更大范围的水土流失,是河坡治理的重点、难点部位。拟种植亲水型植物,如茭白、宽叶香蒲、蓑衣草等。这三类植物耐淹深度一般为0.3~0.6 m,根系发达,最长可达0.8~1.0 m,具有较强的固坡作用。

3.2.3　结构、生物和景观结合型护坡典型断面

东片2号河是实施结构、生物与景观型工程护坡的典型河段,典型断面示意图见图3。由于东片横河和西片横河的横断面尺寸相同,因此河岸护坡工程采用与西片横河相同的工程形式。堤顶布置不同,南河堤顶部按6 m规划,除种植黑麦草、罗米克斯外,沿线布置花坛、休闲亭,栽种冬青、龙柏等灌木,并混植垂柳、香樟、雪松等乔木类树种,构成沿河景观型绿化带。

4　效益分析

新浜镇是上海市松江区的农业重点镇,高效绿色生态农业是该镇的发展方向。治理河

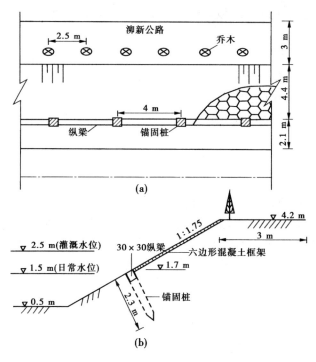

(a)

(b)

图2 工程加生物型护坡坡面工程示意图(西片横河南堤)

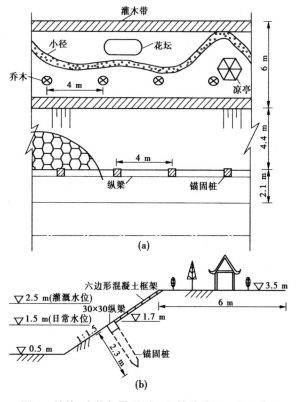

(a)

(b)

图3 结构、生物与景观型工程护坡坡面工程示意图

道、保持水土、提供良好的水环境,以最佳的生态环境为发展农业和其他产业服务,具有重要的现实意义和长远意义。

4.1 经济效益

河岸边坡经济类牧草种植面积达 27.65 hm^2,每年可为肉牛提供饲料,由此形成生物产业链,按每公顷创收 3 万元计,可年创产值 83 万元;规划实施后,示范区农业生态环境和生产条件将有根本改善,通过水土流失治理、改善水土环境和生物防治、减少化肥农药使用量,降低了农业生产成本,促进农业增产增效,按每公顷增效 300 元计,0.246 万 hm^2 耕地每年可增效 73.8 万元。

4.2 生态效益

通过项目实施,可以防止或减少水土流失,根据过去该镇河岸坍塌情况,每年可减少土地侵蚀面积 2 000 m^2,同时通过水土保持和生态建设,从根本上改变当地的水环境面貌,真正实现地更绿、水更清、天更蓝的总体目标,促进资源、环境和经济的可持续发展,使示范区成为市郊别具特色的一道风景,体现人与自然的和谐统一。

4.3 社会效益

通过开展水土保持和生态建设,使区域内河道保持水清、岸绿,使黄浦江上游水源地保护得更好。同时可改善新浜的投资环境,为促进当地社会、经济的可持续发展提供良好的外部环境,对改善当地人民生活质量和农村两个文明建设将起到重要的促进作用。

5 结语

在河流生态系统中,处于陆生生态系统与水生生态系统交界处的护坡生态系统带,构成了具有边缘效应的生态交错带,它最集中地反映了人类的改造活动和河流之间的物质、能量和信息的冲突与交换。因此,开展生态护坡的研究,对于维持并提高城镇河流生态系统的服务功能,保护城镇河流生态系统的健康,具有十分重要的意义。

本文在对生态护坡概念进行分析的基础上,从传统护坡的缺陷、生态护坡设计实例和效益比较 3 个方面,剖析了生态护坡的内涵,现有生态型护坡虽具有一定的生态色彩,但却忽略了生态护坡应是在保证边坡稳定的基础上,以营造边坡的生物多样性为目标,达到提高河流自净能力的目的。本文就生态护坡设计方面进行了探讨,今后的研究应集中在生态护坡新材料、生态护坡服务功能等方面,旨在为生态护坡的研究提供参考。

上海郊区中小河道生态护岸形式的探讨

朱宏进　沈　军

（上海市青浦区水务局，上海 201700）

青浦区地表水资源十分丰富，2000 年完成的《青浦区水资源普查报告》显示，全区总面积 675.1 km²，共有大小河道 1 817 条（段），湖泊 21 个，水面面积达 112.46 km²，占全区总面积的 16.65%。水网密度达到 3.33 km/km²。丰富的水资源为青浦区社会和经济发展提供了良好的自然资源保障。目前青浦区的河道整治及湖泊整治，往往着眼于工程本身，没有意识到周围生态系统的重要性，忽视了对原有生态系统的恢复。堤岸的迎水坡面多采用硬质材料，如混凝土、浆砌块石等，使得植物难以生长，也影响了河道湿地生态系统的生态减污能力，因此有必要在实施这些改造工程的同时，采取生态护坡技术，一方面恢复堤岸和沟渠的生态功能，另一方面结合景观建设，美化河道，形成较好的视觉效果。

1　生态护岸建设可行性

护岸的建设，其主要目的是减少水土流失，保护堤岸的稳定，从而保证防汛安全。因此考察水土流失现状是研究生态护岸建设可行性的重要指标。青浦境内以青紫土分布地区较多，抗冲性较好，少量小粉土分布地区，因小粉土抗冲性较差，水土流失比较严重。从水土流失的途径看，青浦境内水土流失主要是雨水冲刷、地表径流、河水流动和涨落潮、船行波等。如果对河堤和边坡又缺乏有效的保护措施，则可能产生水土流失。传统护岸多采用隔土法，人为隔断了水土的自然衔接，阻断了地下水对河流的补给，阻碍了土岸和水体的生物过渡。采用生态护坡实现了水体和岸边土质的软过渡，容易形成水体和岸边的生物过渡，可以改善水质。

按照青浦中小河道土质条件来考察水土流失现状，水土流失状况主要通过土壤侵蚀模数来衡量，土壤侵蚀模数采用通用水土流失方程来确定，公式如下：

$$A = R \cdot K \cdot LS \cdot C \cdot P \tag{1}$$

式中：A 为侵蚀模数，t/(hm²·a)；R 为降雨因子；K 为土壤可蚀性因子，t/hm²；LS 为坡长坡度因子；C 为作物管理因子；P 为水土保持防治措施因子。

各因子确定如下：

（1）R——降雨因子。R 因子表示在标准条件下，顺坡耕地，连续休闲地，降雨对土壤的侵蚀能力，也称降雨侵蚀力指标，该指标采用联合国粮农组织推荐的公式：

$$R = \sum_{1}^{12} 1.735 \times 10^{\left(1.5 \lg \frac{P_i}{P} - 0.818\,8\right)} \tag{2}$$

式中：P 为全年平均降雨量，mm；P_i 为月平均降雨量，mm。

降雨资料采用原初步设计提供的系列。计算结果 $R = 124.37$。

（2）K——土壤可蚀性因子。K 值是标准小区得到的土壤流失量除以引起流失的降雨因子 R 值所得到的一个有因次因子。其主要影响因素有土壤质地、结构体的大小和稳定性、黏粒的类型、土壤的通透性、有机质含量和土层深度等。根据青浦地区的地质条件取 $K = 0.185 \ t/hm^2$。

(3)LS——地形因子。采用黄河水利委员会天水水土保持科学试验站提供的公式计算：

$$LS = 0.06L^{0.2}\theta^{1.3} \tag{3}$$

式中：L 为坡长，m；θ 为坡度（°）。

根据该公式计算，得 $LS = 0.68$。

(4)C——管理因子。C 因子度量了相互影响的两个变量，即覆盖和经营方法的综合作用，取 0.54。

(5)P——水土保持措施因子。P 因子表示在其他情况相同的条件下，实施某种保土措施农田上的土壤流失量与顺坡耕作农田土壤流失量的比值，本区现状取 0.72。

将上述指标代入式(1)，可得水土流失侵蚀模数为 604 $t/(km^2 \cdot a)$，水土流失强度为轻度。

从计算结果来看，在自然河道中，除了通航河道以外，中小河道水土流失强度不大，改变硬质护岸、实施生态护岸的可行性是较大的。

2 护岸形式选择

从实践看，护岸的形式可以采用多种形式，对于水位变化较大的外河采用低顶结构护底（浆砌块石、仿木桩等），保护水位变动区的水土不流失，边坡采用种植草皮和绿化护坡，边坡铺设防止草皮下滑的中空六角水泥预制块以稳定边坡（青浦西岑生态镇就是采用此种方法）。对于水位变化不大的圩内河道，可以采用木排桩、纯草皮护岸等形式。由于构筑低护岸仍然阻断了部分水土的交换，在实践中，我们用块石石笼、换土为沙、换土为石的方法，有效保证了岸边土堤的稳定，保证地下水畅通，创造微生物生存环境，利用河道自然曲线，建设河中小岛，扩大部分河道岸线，有意识地创造河道分水廊道，形成水边生物恢复技术条件。青浦赵巷水土保持项目部分采用此技术。

3 生物群落配置

生态护岸的建设成败，关键是生物措施，而生物措施中最重要的是生物配套，通过人为设计，将恢复区的水生植被群落按照环境条件和景观要求进行空间布置，满足生态习性、环境功能和视觉效果。在边坡设计中利用植物自然固土功能，保证土壤不裸露，减轻雨水冲刷，从而减轻水土流失。边坡上主要种植常年生的草皮（如高羊茅、三叶草）等，并间种灌木（如枸杞、迎春、黄薪等）和乔木（如黄杨、垂柳、香樟等）。

水中植被的种植也相当重要，水生植被恢复的主要目的是改善水体水质。浮水植物群落选择耐污性好、去除氮磷等能力强的植物，如凤眼莲、满江红等，对于浮水植物还需要圈养固定，防止随意漂浮，影响景观；挺水植物群落主要是香蒲、苍蒲、水生美人蕉、干厥菜等；沉水植物主要采用间种苦草、大小茨藻、狐尾藻等当地水草。对于部分河道放养底栖动物，如螺蛳、河蚌等。此外，在满足生态恢复的前提下，对植物的色彩进行搭配，覆盖于水面生长的植物同暴露水面的保持适当比例，水生植物与在水面漂浮生长的植物也要保持一定的比例，保证一定的视觉效果，由于很多植物不是多年生的，因此植被群落配置还需要考虑到一年四季中不同植物间的功能替代。

4 工程实例

赵巷河道岩坡多为土坡,边坡上分布有杂草、零星的树木、菜地等。大部分河道两旁规划有高档别墅区,对水质、河道景观要求高。现状河道内水体感官差,水面上漂浮着水葫芦、浮萍等。采用生态护岸后观感效果以及水质情况大大改善,生态河岸设计见图1。

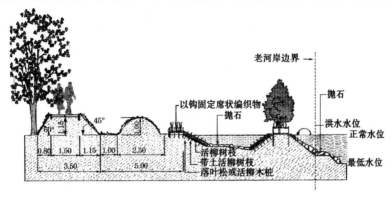

图1 赵巷生态河道岸边设计简图(单位:m)

5 效益评估

5.1 土壤侵蚀分析

计算公式中,降雨因子 R 及土壤可蚀因子 K 在项目前后没有发生变化;通过削坡及土方回填使原有较陡的岸坡变缓,坡长加大,工程后与工程前坡度、坡长地形因子比为0.45;两岸及边坡采取乔灌草措施后,林草覆盖率提高,工程后与工程前植被及经营管理因子比为0.37。其他水土保持措施因子工程前后仍保持不变。

将以上参数代入式(1)计算,可得项目实施后,河道两岸水土流失侵蚀模数为101 t/(km²·a)左右,水土流失强度为微度。

从计算结果分析,建设生态护岸后,河道两岸土壤侵蚀模数从原来的604 t/(km²·a)减少至101 t/(km²·a)。可以看出,采用生态护岸的方法,可以有效地保护植被和土壤,减轻水土流失状况。

5.2 经济效益分析

从现有生态护岸的投资看,单位造价远小于硬质护岸,青浦区西岑项目区投入719万元,完成生态护岸20.6 km,平均每米造价343元。赵巷项目区投入1 056万元,建设生态护岸26.48 km,平均每米造价398元。从投资对比看,生态护岸投资约是浆砌块石护岸的1/3。当然,由于这些项目区都在乡镇,河道为中小河道,所以景观要求不高,投入相对少些,若是城区河道,投入也会相应增加。但是,从全区总量分析,中小河道的数量和长度占很大比重,因此建设生态护坡是一个非常经济而有实效的河道综合整治的选择。

5.3 环境效益分析

通过开展水土保持生态建设,可增强水体的流动和水环境容量,同时河道两岸水边植物种植对河道水质也有一定的改善作用。建成后,河道将保持水清、岸绿,沿岸区域的环境得到极大改善,防洪除涝标准得到提高,为促进当地经济可持续发展提供良好的外部环境,对改善当地人民生活质量和农村两个文明建设起到重要的促进作用。

6 结论

本文讨论以生物措施为主、工程措施为辅的生态护岸建设。从分析结果看,在上海平原河网地区,中小河道采用生态护岸一方面可以减少水土流失,另一方面可以提高河道的槽蓄能力,从而增加环境的纳污能力,改善水环境。既经济又有实效,非常有推广意义和价值。当然,只有坚持工程措施、生物措施相结合的原则,并认真搞好已建工程的建后管护,形成水土保持综合防治体系,发挥其总体作用,才能收到减少水土流失、改善水质的综合效果。

参 考 文 献

[1] 许朋柱,秦伯强.太湖湖滨带生态系统退化原因以及恢复与重建设想.水资源保护,2002(3):31~36
[2] 黄玉瑶.内陆水域污染生态学原理与应用.北京:科学出版社,2001
[3] 傅伯杰.景观生态学原理及应用.北京:科学出版社,2001
[4] 俞孔坚.景观:文化! 生态与感知.北京:科学出版社,1998
[5] 王海珍.水生植被对富营养化湖泊生态恢复的作用.自然杂志,2002,24(1):33~36
[6] 汪松年.上海湿地利用和保护.上海:上海科学技术出版社,2003
[7] 何长高.关于水土保持生态修复工程中几个问题的思考.中国水土保持科学,2004(9)

疏浚工程堆土系数计算方法探讨

张 荣

(上海市奉贤区排灌管理所,上海 201400)

疏浚工程本身并不复杂,只要有足够的堆土区和基本的施工机械就可以完成。但由于疏浚工程的堆土区一般均占用耕地或水面积,从合理使用土地资源、保护环境、保持社会经济的可持续发展的角度出发,应当尽量做到疏浚出的土方与堆土区允许堆土土方大致相等,但这不是一件容易的事情,围地不够,就会造成人力、财力的重复使用,而且会影响工程进度;围地过多,尤其是出现围地不用时,也会造成浪费,其社会、环境的负面影响也会很大。出现上述情况时,一般会认为是测量计算有误,或者是施工单位未正确施工。其实,如何合理选择堆土系数是避免出现上述情况的关键所在。

1 堆土系数的简单释义

在计算所需的堆土区面积时,我们总会在设计疏浚土方量前乘以一个系数,不妨称之为堆土系数。很显然,堆土系数是一个打折系数,因为所确定的堆土区的空间不可能全部用于堆土,但这到底是什么打折呢? 同行之中较多人是这么认为的:将河底的淤泥打成泥浆疏入堆土区后沉淀,沉淀出的泥土占打出泥浆的体积百分比,也就是说,堆土系数是指沉淀出的泥土占堆土区用于堆土部分的体积百分比。对此笔者不敢苟同,疏浚工程施工比较灵活,用适当的方法,泥土是可以堆满整个可利用的堆土空间的,那么堆土系数岂不是可以达到100%了。笔者认为,堆土系数表示的应该是可利用堆土空间的体积占整个堆土区总体积的百分比,表示的是堆土区总空间的利用率。由于疏浚工程的施工灵活性,可以知道这个系数与疏浚土土质无关。实际工程中这个系数一般都按经验选取,在近年夹塘疏浚工程中,不管堆土区面积多大、形状如何,堆土系数一律采用0.7,似乎有所不妥,因此笔者认为有必要从数学角度来分析其合理性。

2 堆土系数的数学推演过程及分析

假设堆土区的平面及断面如图1所示(长边为 A,短边为 B)。

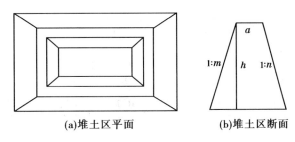

(a)堆土区平面   (b)堆土区断面

图1 堆土区平面及断面

根据堆土区的空间利用情况,其平面和断面可变化为图2所示形状。

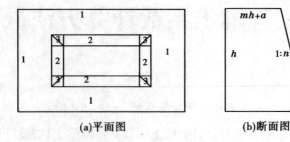

(a)平面图　　　(b)断面图

图2　变化后的堆土区平面及断面

对于堆土区未用于堆土的部分,可以分为三处:

1—外面的矩形;2—内坡;3—四个拐角处。

$$V_1 = s_1 \times l_1 = (mh + a) \times h \times [2A + 2B - 4(a + mh)]$$
$$= 2(mh^2 + ah) \times (A + B - 2a - 2mh)$$

$$V_2 = s_2 \times l_2 = 1/2nh \times h \times [2 \times (A - 2a - 2mh - 2nh + B - 2a - 2mh - 2nh)]$$
$$= nh^2 \times (A + B - 4a - 4mh - 4nh)$$

$$V_3 = 8 \times 1/3nh \times h \times nh = 8/3 \times n^2 h^3$$

按实际施工情况,一般取:$a=1.5,m=1,n=1$,则

$$V_1 = 2(h^2 + 1.5h) \times (A + B - 3 - 2h)$$

$$V_2 = h^2 \times (A + B - 6 - 8h)$$

$$V_3 = 8/3 \times h^3$$

堆土系数

$$k = 1 - (V_1 + V_2 + V_3)/(ABh)$$
$$= 1 - [2(h + 1.5) \times (A + B - 3 - 2h) + (A + B)h - 6h - 8h^2 + 8/3h^2]/(AB)$$

由上式可以看出,k 与 A、B、h 有关,k 是表示堆土区总空间的利用率。取近年夹塘疏浚工程中的 $h=1.8$,化简,可得

$$k = 1 - [8.4(A + B) - 71.64]/(AB)$$

根据堆土区的实际取方形和带状两个常见的堆土形状,见表1、表2。

表1　方形堆土

$B:A$	1:1.1			1:1.2			1:1.3		
B(m)	50	70	100	50	70	100	50	70	100
A(m)	55	77	110	60	84	120	65	91	130
面积(hm^2)	0.273	0.54	1.10	0.30	0.59	1.20	0.33	0.64	1.30
系数 k	0.705	0.784	0.846	0.72	0.792	0.851	0.725	0.8	0.857

表1 显示,堆土区的长宽相差不大时,堆土系数随面积增大而显著提高,所以在施工条件允许的范围内,应尽量集中堆放,扩大单个堆土区的面积,可以提高堆土区的利用率。

表 2　带状堆土

$B:A$	1:4			1:5			1:6		
B(m)	20	25	30	20	25	30	20	25	30
A(m)	80	100	120	100	125	150	120	150	180
面积(hm^2)	0.16	0.25	0.36	0.20	0.313	0.45	0.24	0.374	0.54
系数 k	0.52	0.61	0.671	0.532	0.62	0.68	0.54	0.627	0.687

从表 2 中可以看出,带状堆土区的堆土系数较小,在堆土区宽度受限制时,可以在施工机械条件允许的范围内加长长度,也可提高堆土系数。不过,效果不太明显。

由表 1、表 2 可以看出,堆土区面积与堆土区形状是影响堆土系数的两个重要因素,不宜将二者分开来研究其中任一个与堆土系数的关系,但有一点很明确,堆土区面积越大,堆土形状越接近方形,则堆土系数就越高。

在实际处理中,我们在要求面积时忽略了形状对堆土效率的影响。举例说明(见表 3),同样 1 hm^2 地,在 $B:A$ 取不同值时,其堆土系数是不一样的,从而导致堆土区能够堆放的土方量也不一样。如果 $B:A=1:2$,采用系数 0.7,则只能放 $0.7\times10\ 000\times1.8=12\ 600$ (m^3),而采用表 3 中算出的系数 0.79,就可以堆放 14 220 m^3,整整多出了 1 620 m^3。在近年夹塘疏浚工程中,单个堆土区面积超过 1 hm^2,其堆土区总面积若按 10 hm^2 算,将堆土系数 0.7 改用为 0.8,则只需要用地 8.75 hm^2,如果用 0.75 代替,也只要 9.35 hm^2 左右的地。堆土系数偏小也应该是导致围地未用的原因之一。

表 3　形状对堆土效率的影响

面积(hm^2)	$B:A$	B(m)	A(m)	k	h(m)	可以堆土数(m^3)
1	1:1.1	95.35	104.88	0.8	1.8	14 400
1	1:2	70.71	141.42	0.79	1.8	14 220
1	1:5	44.72	223.61	0.73	1.8	13 140
1	1:10	31.62	316.23	0.65	1.8	11 700

所以,笔者认为堆土系数不宜一成不变,尤其是在大田堆放时,应根据实际情况选择使用。一般其 $B:A$ 在 1:2 上下,不妨假设为 1:2,当堆土系数 k 取 0.7 时,可以求得其面积约为 0.32 hm^2;k 取 0.75 时,面积为 0.47 hm^2;当 k 取 0.8 时,面积为 0.63 hm^2;大田堆放,一般很少用到少于 0.2 hm^2 的地,考虑到工程允许误差,在尽量集中堆放的前提下,建议采用的堆土系数如表 4 所示。

表 4　建议堆土系数

堆土区面积(hm^2)	0.2～0.43	0.43～0.6	0.6～1	1 以上
建议堆土系数	0.7	0.75	0.8	0.84

带状堆土时,一般是放在河道的两边,这样堆土区就可以较长,甚至可以达到 180 m,如果系数取 0.65,得到其短边为 26 m,再加上允许的工程误差,宽度为 20 m 系数就可以取到

0.65。不过,在堆土区长度确实不长时,堆土系数建议取 0.6。由表 2 可看出,带状堆土时系数不宜取到 0.7,否则容易出现围地不够的情况。

3 结语

在实际工程中,实际堆土区出现形状不规则的情况时,可以将它简化成形状与之相近的矩形,方便计算,误差也不大。如果碰到设计用地与实际用地不符的情况,可以在实地勘测后,再选择适当的堆土系数,重新确定堆放面积。另外,为避免出现围堤坍塌等问题,在施工围堤时,应尽量保证围堤的断面尺寸达到设计要求,这样,加上认真负责的态度,就能避免出现疏浚工程中经常碰到的堆土区围地不合理的问题了。

中小河道生态护岸评价方法研究

盛 平 吴伟峰 黄光辉

（上海市灌溉试验中心站，上海 201602）

生态型河道建设是近年来上海郊区水利现代化建设中提出的一个新的理性化概念，是水利建设发展到相对高级形态的必然结果，是现代社会人类渴望回归自然、渴求人与自然和谐共处的迫切要求。上海市从 2002 年开始对镇（乡）域内的中小河道进行区域性的河道生态水土保持建设，先后在松江区新浜镇、五厍镇，闵行区浦江镇，青浦区西岑镇、赵巷镇，崇明县虹桥地区建设生态护坡 118 km。

1 生态河道指标体系的建立

在实现水利现代化进程中，要加快水土流失防治，同时要搞好效益监测与评价，建立能科学反映生态水土保持效益的指标体系，为生态水环境建设提供科学依据。

1.1 指标设置原则

1.1.1 指标体系要符合上海市的城市定位

上海的城市定位是国际经济、金融、贸易、航运中心和现代化国际大都市，上海郊区河道生态水土保持建设理念、思路和标准需要着眼于世界先进水平，高起点、高标准地进行水利建设，服务于上海城市发展。要从防洪功能、生态功能、景观功能、自净功能方面发挥其作用。

1.1.2 体现人与自然的和谐共处

人类社会关系中的人文关怀体现为现代社会中河道整治不再是改造自然、征服自然，不是强调以人为本，而是提倡人与自然的和谐共处。

1.1.3 体现生物多样性和本地化

水利工程本身是对自然原生生态的一种破坏，因此建设生态型河道时必须密切关注恢复或重建陆域和水体的生物多样性形态，尽可能地减少那些不必要的硬质工程。河岸选择栽种的树种、草种，尽可能用本地的、土生土长的、成活率高的，便于管理。

1.1.4 指标体系要适合城市郊区的推广应用

中小河道生态水土保持建设主要分布在城市郊区，由于郊区中小河道面广量大，郊区的经济力量相对薄弱，为了能以最小的资金付出获得最大的生态水土保持效果，指标体系要对生态水土保持建设的经济性进行考核，以适合在城市郊区推广应用。

1.1.5 指标体系要具备资料获取的可操作性

具体指标要具有可取性（具有一定的现实统计基础）和可测性（所选的指标变量必须在现实生活中是可以测量得到的或可通过科学方法聚合生成的），以便于基层部门在日常工作中对生态河道进行考核。

1.1.6 指标体系要促进生态建设的持续发展

指标要有导向性，必须代表水利建设的发展方向。衡量有关指标的评价目标值或阈值必须要具有一定的动态性,所选的指标及其目标值要符合本城市该阶段的各类方针政策,有利于促进政策的实施。

1.1.7 指标体系要强化生态工程的长效管理

生态水土保持工程建设只是为生态效益发挥奠定了基础条件,只有逐步建立和完善职能清晰、权责明确的生态工程分级管理体制,建立管理科学、经营规范的行政管理体制,建立市场化、专业化和社会化的生态工程维修养护体系,以及规范的资金投入、使用、管理与监督机制,切实解决长期以来生态工程"重建轻管"的突出问题,才能充分发挥生态效益。

1.2 河道生态水土保持指标体系

按照指标体系—指标系统—目标指标三个层次,从下至上分层综合建立指标体系。上海市郊区河道生态水土保持指标体系的系统层分 5 个系统:工程系统、水保系统、生态系统、水质系统、管理系统,对每个系统选取若干指标。

工程系统下设河面保有率、堤顶高程、河道淤积程度、河岸边坡稳定性、护坡造价 5 项指标。

水保系统下设河岸坍塌程度、河岸水土流失程度、河道水含沙量 3 项指标。

生态系统下设植被丰度指数、植被完好率、当地物种率、水生动物生存状况 4 项指标。

水质系统下设生物需氧量(BOD_5)、浊度、凯氏氮 3 项指标。

管理系统下设单位河长管理人员、单位河长管理经费、信息化程度 3 项指标。

2 用层次分析法评价中小河道生态护岸形式

人们在进行社会、经济以及科学管理领域问题的系统分析中,面临的常常是一个相互关联、相互制约的众多因素构成的复杂而往往缺少定量数据的系统。层次分析法为这类问题的决策和排序提供了一种新的简洁而实用的建模方法。

层次分析法是将决策有关的元素分解成目标、准则、方案等层次,在此基础上进行定性和定量分析的决策方法(Analytic Hierarchy Process, AHP),是美国运筹学家萨蒂(T. L. Saaty)教授于 20 世纪 70 年代初期提出的一种简便、灵活而又实用的多准则决策方法,它是一种定性和定量相结合的、系统化、层次化的分析方法。它把一个复杂问题分解成组成因素,并按支配关系形成层次结构,然后应用两两比较的方法确定决策方案的相对重要性,就可以得出不同方案的权重,为最佳方案的选择提供依据。

2.1 层次分析法运行步骤

(1)通过对系统的深刻认识,确定该系统的总目标,弄清规划决策所涉及的范围、所要采取的措施方案和政策、实现目标的准则、策略和各种约束条件等,广泛地收集信息。

(2)建立一个多层次的递阶结构,按目标的不同、实现功能的差异,将系统分为几个等级层次。

(3)确定以上递阶结构中相邻层次元素间的相关程度。通过构造两两比较判断矩阵及矩阵运算的数学方法,确定对于上一层次的某个元素而言,本层次中与其相关元素的重要性排序——相对权值。

(4)计算各层元素对系统目标的合成权重,进行总排序,以确定递阶结构图中最底层各个元素在总目标中的重要程度。

(5)根据分析计算结果,考虑相应的决策。

2.2 评价体系试验

2.2.1 试验河道的确定

本次试验按照不同的生态护坡形式,在松江区浦南片选取 5 条有代表性的河道,考核河道岸坡形式有纯生态护岸、混凝土六角砖护岸、结构与生态结合护岸、自然态岸线、新开挖无生态岸线,各河道的基本情况如下:

(1)1 号河为松江区新浜镇后弯河西段,该河道于 2002 年通过治理,下面采用直立结构,两边坡采用混凝土六角砖护岸,砖中间种植高羊茅。

(2)2 号河为新浜镇后弯河东段,该河道于 2002 年通过治理,该地段没有做任何结构工程,只在河道两边坡上种草,一边为白花三叶草,另一边为高羊茅。

(3)3 号河为五库园区的休闲度假区内的原始河道,该河坡未治理,以自然状态为主,该河环抱一块空地,中间以养鸵鸟和休闲为主。

(4)五库园区 4 号河,该河道于 2005 年初治理,下面采用块石直立结构,两边坡均为白花三叶草和高羊茅草混合种植。

(5)5 号河为五库园区的休闲度假区内的新开河道,该河坡未做任何治理,全部为裸坡。

2.2.2 指标的测定与调查

(1)河面保有率。通过丈量调查考核河道的河口宽度,对照水资源普查时的河口宽度,计算河面保有率(见表1)。

表 1 河面保有率

河段	1	2	3	4	5
原河宽(m)	12.5	15.0	9.0	12.0	9.0
现河宽(m)	12.5	15.0	9.5	12.0	9.7
保有率(%)	100	100	105.6	100	107.8

(2)堤顶高程。通过用水准仪测量考核区内河堤的高程获取相关资料(见表2)。

表 2 堤顶高程

河段	1	2	3	4	5
高程(m)	3.80	3.60	2.82	3.30	3.83

(3)河道淤积程度。通过测量现有考核河道的横断面,对照各级河道设计断面的资料,获取河道淤积程度资料(见表3)。

表 3 河道淤积程度

河段	1	2	3	4	5
设计河底高程(m)	0	0	0.50	0.50	0.50
现状河底高程(m)	1.45	2.05	1.10	0.50	0.95
常水位(m)	2.60	2.50	2.40	2.27	2.40
淤积程度(%)	56	82	32	0	24

(4)河岸边坡稳定性。通过测量考核河道的边坡状况获取相关资料(见表4)。

表 4　河岸边坡稳定性

河段	1	2	3	4	5
边坡	1:2	1:2	自然垂直	重力式浆砌块石	1:1
稳定性(%)	100	100	100	100	0

(5)护坡造价。通过查阅工程档案获取考核河道护坡的工程造价的相关资料(见表 5)。

表 5　护坡造价

河段	1	2	3	4	5
单价(元/m)	320	170	0	350	0

(6)河岸坍塌程度。通过调查考核河道坍塌长度获取相关资料(见表 6)。

表 6　河岸坍塌程度

河段	1	2	3	4	5
坍塌长度(m)	0	0	350	0	75
河道总长度(m)	1 600	2 100	475	800	850
坍塌程度(%)	0	0	73.7	0	8.82

(7)河岸水土流失程度。通过调查考核河道发生水冲蚀面积,获取河岸水土流失程度相关资料(见表 7)。

表 7　河岸水土流失程度

河段	1	2	3	4	5
水土流失长度(m)	0	0	0	0	550
河道总长度(m)	960	1 030	850	475	850
坍塌程度(%)	0	0	0	0	64.7

(8)河道水含沙量。通过实地提取考核河道的水样,经化验后获取河道水含沙量相关资料,为了考核各种护坡形式在遭遇暴雨时的抗冲刷能力,分别化验降雨前后的水质样品,化验结果见表 8。

表 8　河道水含沙量　　　　　　　　　(单位:kg/m³)

河段	1	2	3	4	5
2005 年 1 月 19 日雨前对照	3.56	3.52	4.12	4.82	5.80
2005 年 1 月 28 日雨后 5 天	7.70	3.40	11.68	2.82	11.92

(9)植被丰度指数。通过现场测量考核河岸植被覆盖面积与混凝土覆盖面积,获取植被丰度指数相关资料(见表 9)。

表 9　植被丰度指数

河段	1	2	3	4	5
植被面积(m^2)	3.9	3.3	0.11	0.7	0
调查面积(m^2)	3.9	3.3	0.4	1.1	2.02
植被丰度指数(%)	100	100	0.28	64.7	0

(10)植被完好率。通过调查考核河岸植被覆盖面积中植物的枯死或损坏面积,获取植被完好率相关资料,由于松江区有河道专业管理队伍,生态护岸建设的岸坡植被保养完好(见表10)。

表 10　植被完好率

河段	1	2	3	4	5
植被完好面积(m^2)	3.9	3.3	0.11	0.7	0
调查面积(m^2)	3.9	3.3	0.4	0.7	2.02
植被完好率(%)	100	100	0.28	100	0

(11)当地物种率。通过调查考核河道护坡物种情况获取当地物种率相关资料(见表11)。

表 11　当地物种率

河段	1	2	3	4	5
植被品种	高羊茅	白花三叶草 高羊茅	自然植被	白花三叶草 高羊茅	无植被
种源地	美国	欧洲、美国	本地	欧洲、美国	
当地物种率(%)	0	0	100	0	0

(12)水生动物生存状况。通过现场捕捉考核河内水生动物数量获取水生动物生存状况相关资料(见表12)。

表 12　水生动物生存状况

河段	1	2	3	4	5
捕捉到水生动物数(只)	53	61	34	0	25

(13)生物需氧量(BOD_5)。通过提取考核河道送检水样获取相关资料,为了考核各种护坡形式在遭遇暴雨时对生物需氧量的影响,分别化验降雨前后的水质样品。化验结果见表13。

表 13　生物需氧量(BOD₅)　　　　　　(单位:mg/L)

河段	1	2	3	4	5
2005 年 1 月 19 日雨前对照	6	6	10	4	8
2005 年 1 月 28 日雨后 5 天	8	8	8	10	10

(14)浊度。通过提取考核河道送检水样获取相关资料,用浊度仪测定获取相关资料。为了考核各种护坡形式在遭遇暴雨时对河道水浊度的影响,分别化验降雨前后的水质样品。化验结果见表 14。

表 14　浊度　　　　　　(单位:度)

河段	1	2	3	4	5
2005 年 1 月 19 日雨前对照	1.8	1.0	3.3	3.1	5.7
2005 年 1 月 28 日雨后 5 天	8.14	5.85	29.23	11.58	54.75

(15)凯氏氮。通过提取考核河道送检水样获取相关资料,经化验室测定获取凯氏氮相关资料。为了考核各种护坡形式在遭遇暴雨时对河道水富营养化的影响,分别化验降雨前后的水质样品。化验结果见表 15。

表 15　凯氏氮　　　　　　(单位:mg/L)

河段	1	2	3	4	5
2005 年 1 月 19 日雨前对照	5.60	5.32	5.04	6.16	6.16
2005 年 1 月 28 日雨后 5 天	5.60	4.76	4.48	4.76	4.48

(16)管理系统各项指标。管理系统包括单位河长管理人员、单位河长管理经费、信息化程度 3 项指标,通过账面反映及对河道信息化建设的评价获取相关资料,由于以上 5 条河道都由同一排灌管理站管理,因此其管理水平相同(见表 16)。

表 16　管理系统指标

河段	1	2	3	4	5
河道管理经费(元/km)	859.03	859.03	859.03	859.03	859.03
河道管理人员(人/km)	1.16	1.16	1.16	1.16	1.16
信息化程度(分)	70	70	70	70	70

2.2.3　权重的确定

一级指标数(U_i)是根据其所属各二级指标数值乘以各自的权重后进行加权,计算公式如下:

$$U_i = \sum_{i=1}^{n} W_i P_i$$

$$\overline{W_i} = \sum_{j=1}^{n} \overline{a_{ij}} \quad (i = 1, 2, \cdots, n)$$

式中：W_i 为某一、二级指标的权重；n 为该一级指标所属二级指标的项数。

以两两比较的方法导出权重，按 1～9 的比例标度对重要性程度赋值，通过判断矩阵计算其权重。中小河道生态水土保持指标体系表指标权重见表17。

表17 中小河道生态水土保持指标体系表指标权重

项目	一级体系	一级系统对综合评价指数权重	二级指标	二级指标对一级系统权重
综合评价指数 A	工程系统 B_1	0.220	河面保有率 C_{11}	0.098
			堤顶高程达标率 C_{12}	0.441
			河道淤积程度 C_{13}	0.107
			河岸边坡稳定性 C_{14}	0.244
			护坡造价 C_{15}	0.110
	水保系统 B_2	0.198	河岸坍塌程度 C_{21}	0.172
			河岸水土流失程度 C_{22}	0.294
			河道水含沙量 C_{23}	0.534
	生态体系 B_3	0.136	生物丰度指数 C_{31}	0.416
			植被完好率 C_{32}	0.270
			当地物种率 C_{33}	0.121
			水生动物生存状况 C_{34}	0.193
	水质系统 B_4	0.360	生物需氧量(BOD₅) C_{41}	0.156
			浊度 C_{42}	0.566
			凯氏氮 C_{43}	0.278
	管理系统 B_5	0.086	河道管理经费 C_{51}	0.413
			河道管理人员 C_{52}	0.373
			信息化程度 C_{53}	0.214

2.2.4 层次分析法综合得分和排序

（1）归一化处理。对上述实测资料进行归一化处理，由于底层因子的量纲各不相同，数值可能相差几个数量级，必须进行预处理，使它们之间有比较的可能。处理的方法很多，可以进行标准化处理，就是使所收集的多个记录的同一因子的数据平均值转换为 0、标准差为 1。变量标准化的公式为：

$$y_{ij} = \frac{x_{ij} - x_i}{S_j} \quad (i = 1, 2, \cdots, I; j = 1, 2, \cdots, J)$$

（2）层次分析法综合得分和排序，见表18。

从得分结果看，降雨前 5 条考核河道中生态水保效果排序为纯生态护岸、混凝土六角砖护岸、自然态岸线、结构与生态结合、新开挖无生态岸线。降雨前后 5 条考核河道中生态水保效果排序为纯生态护岸、混凝土六角砖护岸、结构与生态结合护岸、自然态岸线、新开挖无生态岸线，降雨因素影响第 3、4 号河的排序。

3 结论

（1）通过考核河道的实际检验，中小河道生态护岸形式评价指标体系所选用的指标具有广泛的代表性,能较全面地考核各类生态护岸形式,并对此进行评价。

表18　各区县内部相对比较层次分析法综合得分和排序

样品	河段	工程系统	水保系统	生态系统	水质系统	管理系统	综合得分	排名
2005年1月19日雨前对照	1	0.762	0.989	0.854	0.671	1.000	0.807	2
	2	0.596	1.000	0.879	0.837	1.000	0.836	1
	3	0.490	0.689	0.421	0.567	1.000	0.591	3
	4	0.563	0.696	0.540	0.405	1.000	0.567	4
	5	0.725	0.150	0.079	0.031	1.000	0.297	5
2005年1月28日雨后5天	1	0.762	0.714	0.854	0.695	1.000	0.761	2
	2	0.596	0.966	0.879	0.931	1.000	0.863	1
	3	0.490	0.308	0.421	0.729	1.000	0.574	4
	4	0.563	1.000	0.540	0.708	1.000	0.736	3
	5	0.725	0.150	0.079	0.278	1.000	0.386	5

(2)生态水土保持生态护岸建设的目的是改善河道水质、改善水环境,评价指标体系中权重的确定,强调生态护岸水土保持的效果,是非常必要的,并取得了显著的成效。

(3)在5条考核河道中,管理系统评价指标中数值都相同,这是由于所有考核河道都在同一镇内,管理措施相同,所以数值相同。如本评价体系用于考核全市河道,管理系统的设立是非常必要的。

(4)中小河道生态护岸形式评价指标体系应用层次分析法进行分析计算,此方法简单易行,在处理复杂的决策问题上的实用性和有效性强,可广泛应用和推广。

(5)层次分析法能动态地评价中小河道生态护岸形式评价指标变化情况,实践考核中,由于降雨的发生,评价的结果就发生了变化。

灌　溉　排　水　篇

上海地区参考作物需水量研究

秦德刚　　朱小飞　　方跃骏

(上海市水利排灌管理处,上海 200011)

作物需水量的确定,是农村水利工作的一项重要内容,是保障水资源合理开发、高效利用、优化配置及农业用水科学管理的一项基础性工作;在灌溉工程设计时,要确定作物灌溉制度,进行灌区水量平衡分析计算,以确定工程规模。水量平衡必须首先确定作物需水量,其数值可直接取用当地或自然地理条件类似的邻近地区灌溉试验站的观测成果或从作物需水量等值线图中选定。由于全国灌溉试验站覆盖面很小,不能满足各级水利部门开展规划、设计、管理的需要,必要时可根据当地的气象资料进行测算。

1　作物需水量的测算

联合国粮食及农业组织对作物需水量(ET)定义是:"为满足健壮作物因蒸发蒸腾损耗而需要的水量深度。这种作物是在土壤水分和肥料充分供应的大田土壤条件下生长的,并在这一环境条件中发挥全部产量的潜力。"一般采用两个步骤计算作物需水量。

(1)用参考作物需水量(ET_0)说明气候对作物需水量的影响。ET_0 的定义是:"从高度一致、生长旺盛、完全遮盖地面而不缺水的 8~15 cm 高的绿色草地上所蒸发蒸腾的速率。"ET_0 值根据气象资料进行计算。

(2)作物特征对作物需水量的影响用作物系数(K_c)表示,这一系数表示参考作物的蒸发蒸腾(ET_0)和作物蒸发蒸腾量(ET)的关系。

参考需水量与作物系数确定后,按式(1)计算作物需水量,《灌溉与排水水工程设计规范》中确定:

$$ET = K_w \cdot K_c \cdot ET_0 \tag{1}$$

式中:ET 为阶段日平均需水量,mm/d;ET_0 为阶段日平均参考需水量,mm/d;K_w 为土壤水分修正系数;K_c 为作物特征对作物需水量的影响的系数。

2　作物参考需水量测算方法

确定作物耗水量的方法很多,归纳起来大体可分为三类:即物理学观点、生物学观点和综合观点。物理学观点认为,作物耗水量大小及其变化主要是受物理因子支配,把作物耗水量和气象因子间的数量关系作为主要的研究内容,但未对作物本身对蒸发的调节作用进行研究;生物学观点认为,作物耗水量主要受生物因子的影响,耗水量随生物产量增加而增加,但对影响作物耗水量的农田热量状况和可供蒸发的土壤水分条件未能进行考虑;综合观点认为,作物耗水量的大小及其变化是气象因子、土壤水分条件、作物需水特征综合作用的结果。

从综合观点出发,联合国粮农组织推荐的方法有:布兰尼—克里德尔法、辐射法、蒸发皿法和彭曼法。

(1)布兰尼—克里德尔法。适用于在现有气象资料中只有气温数据的地区。

(2)辐射法。主要是根据梅金克公式改编的,在只有气温、日照、云量或辐射量等数据时可采用。

(3)蒸发皿法。它提供了一种衡量辐射、风、温度和湿度对具体的开阔水面蒸发量综合影响的方法。

(4)彭曼法。在那些具有测定温度、湿度、风、日照时数或辐射数据的地区适用,使用彭曼法比其他方法能获得更令人满意的结果。

以上四种方法准确性的问题,由于没有原始类型的气象资料,只能提出大致可能的误差。修正过的彭曼法效果最好,误差最小,夏季为±10%,而在蒸发量低的情况下,最多达20%;其次是蒸发皿法,可能误差为15%,但取决于蒸发皿的位置;在极特殊的情况下,辐射法的误差在夏季可能达20%;布兰尼—克里德尔法仅应用于1个月或稍长一段时间,在潮湿、刮风、中纬度的冬季,看到预测数的误差为±25%。

武汉水利电力学院根据湖北省资料,对计算参考作物需水量的水面蒸发量法、气温法、日照法、饱和差法、温度日照法、温度风速法、彭曼法等进行比较,其标准差分别为:28.12%、30.74%、32.28%、28.84%、28.24%、22.63%、14.45%,同样也得出彭曼法效果最好的结论。因此,在进行上海市参考作物需水量计算时应该用修正后的彭曼法。

3 彭曼法计算参考作物需水量

最初的彭曼法是以平静水面的蒸发量为依据,后来作了一些修正:一是在日照时间估算总辐射公式中使用的 a 值和 b 值在不同气候区取值不同;二是在日平均最低气温为5℃以上及最高平均气温和最低平均气温之间的温度在12℃以上的干旱地区,水面蒸发量估计一般偏低,因为在这种情况下会产生干空气平流,为了弥补这种极端气候下的不足,对距地2m高的风速系数作了一些修正;三是考虑了彭曼法确定的不同下垫面的反射率。

彭曼法的主要原理是:对影响作物蒸发蒸腾的辐射因子与气体动力因子进行加权。参考作物需水量按修正的彭曼公式(2)计算:

$$ET_0 = \frac{\dfrac{P_0}{P}\dfrac{\Delta}{\gamma}R_n + E_a}{\dfrac{P_0}{P}\dfrac{\Delta}{\gamma} + 1} \tag{2}$$

式中:γ 为湿度计常数,$\gamma = 0.66$ hPa/℃;$\dfrac{P_0}{P}\dfrac{\Delta}{\gamma} + 1$ 为射入的热量转换成水蒸气释放的"加权因子",它是气温及海拔的函数。

3.1 相对大气压 P_0/P 的确定

相对大气压是计算地点平均大气压(P)与标准大气压(吴淞口海平面的值为 $P_0 = 1\,013.25$ hPa)的比值。根据上海市气象资料,各区县的平均气压见表1。

表1 上海市各地平均气压

地点	市区	闵行	嘉定	宝山	浦东	南汇	奉贤	松江	金山	青浦	崇明
P(hPa)	1 016.1	1 016.1	1 016.2	1 016.2	1 016.1	1 015.8	1 016.0	1 016.1	1 016.0	1 016.3	1 016.0

3.2 平均气温时饱和水汽压随温度变化率(Δ)的确定

平均气温时饱和水汽压(e_a)随温度(t)变化的比率 $\Delta = \mathrm{d}e_a/\mathrm{d}t$,$\Delta$ 可按马格奴斯公式,用当地平均气温(t)资料进行计算:

$$\Delta = e_a \times 4\,683.11/(273 + t)^2 \qquad (3)$$

$$e_a = 6.1 \times 10^{7.43\,t/(273+t)} \qquad (4)$$

以松江区为例,Δ 值见表2。

表2 松江区 Δ 值

月份	1	2	3	4	5	6	7	8	9	10	11	12
t(℃)	2.8	4.1	8.3	13.9	19.1	23.1	27.8	27.8	23.6	17.4	12.2	5.6
e_a	7.5	8.16	10.94	15.99	22.14	28.27	37.38	37.38	29.12	21.08	14.2	9.06
Δ	0.47	0.5	0.65	0.91	1.22	1.5	1.94	1.94	1.54	1.16	0.81	0.54

3.3 太阳净辐射(R_n)的确定

太阳净辐射是计算中的辐射因子,其量值是所有进入的和支出的辐射量之差,即为短波辐射量与长波辐射量之差。地球的辐射来源于太阳,太阳对地球的辐射主要是短波辐射,小部分是长波辐射。净辐射量可以测量,但这方面数据很少,可以从太阳辐射或日照时数(或云量程度),温度及湿度数据来计算,上海地区用日照时数进行计算。

$$R_n = 0.75R_a\left(a + b\frac{n}{N}\right) - \sigma T_K^4(0.56 - 0.079\sqrt{e_d}) \times \left(0.1 + 0.9\frac{n}{N}\right) \qquad (5)$$

式(5)由两部分组成:第一部分为短波辐射,根据不同下垫面有不同的反射率,在农作物中,小麦反射率为 0.2,水稻田为 0.25,水面为 0.05,本次计算以水稻为主,其修正值为 0.75;第二部分为长波辐射。

3.3.1 大气顶层太阳净辐射(R_a)的确定

大气顶层太阳净辐射量经过大气时部分被吸收和散射,其损失很大程度上取决于云量。在计算时以与日照时数有关的 $\left(a + b\dfrac{n}{N}\right)$ 系数进行修正,以所能蒸发的水层深度计(mm/d)表示,其值可根据上海地区纬度及计算月份从天文表中查出,上海地区的纬度为北纬 30°41′~31°51′。以松江区为例,其纬度为北纬 31°,大气顶层太阳净辐射量见表3。

表3 松江区 R_a 值

月份	1	2	3	4	5	6	7	8	9	10	11	12
R_a	8.55	10.45	12.95	15.1	16.5	17.0	16.8	15.65	13.75	11.4	9.25	8.05

3.3.2 计算净辐射的经验系数 a、b 值的确定

根据上海地区位于东经 $121°26′$，北纬 $31°10′$，海拔 $4.5\ m$，其 a、b 值见表4。

表4 各地区净辐射的经验系数 a、b 值

地区	系数	春(3~5月)	夏(6~8月)	秋(9~11月)	冬(12月~翌年2月)	全年(1~12月)
上海	a	0.148	0.146	0.155	0.134	0.155
	b	0.565	0.535	0.521	0.609	0.537
南京	a	夏半年	0.15	冬半年	0.10	
	b		0.51		0.65	
武汉	a	全年	0.18			
	b		0.55			
粮农组织推荐	a	温带全年	0.25			
	b		0.50			

3.3.3 实际日照时数 n 与最大可能日照时数 N 比值(n/N)的确定

最大可能日照时数 N 可根据当地的纬度从天文表中查出，实际日照时数 n 可从当地的气象资料获得。以松江区为例，其 n/N 值见表5。

表5 松江区 n/N 值

月份	1	2	3	4	5	6	7	8	9	10	11	12
n	5.07	4.88	5.16	4.78	5.59	6.04	8.50	9.13	6.45	5.85	5.18	4.57
N	10.34	11.09	11.99	12.92	13.64	14.05	13.94	13.23	12.4	11.48	10.57	10.16
n/N	0.49	0.44	0.43	0.37	0.41	0.43	0.61	0.69	0.52	0.51	0.49	0.45

3.3.4 黑体辐射 σT_k^4(mm/d)的确定

由于地球的长波辐射把其吸收的部分能量反射回大气层，因而在地球表面还要损失部分的太阳辐射。在计算长波辐射时，以黑体辐射为基础进行修正。由于一般物体是灰色的，不是纯黑色，因此要对黑体辐射根据实际情况进行修正，修正值为斯蒂芬—鲍茨曼(Stefan—Boltzman)辐射常数，$\sigma = 2 \times 10^{-9}$(mm/(℃^{4}·d))；$T_k$ 为绝对温度，$T_k = 273 + t$ (℃)。

3.3.5 实际水汽压 e_d(hPa)的确定

实际水汽压从气象资料中取得，以松江区为例，其 e_d 值见表6。

表6 松江区 e_d 值

月份	1	2	3	4	5	6	7	8	9	10	11	12
e_d	5.78	6.53	8.75	13.43	18.6	24.03	31.77	31.77	25.04	17.50	11.50	7.16

3.4 干燥力 E_a(mm/d)的确定

干燥力 E_a 是计算 ET_0 中的气体动力因子，表达了风和水汽压对蒸发蒸腾的影响，因此

要根据风力大小及饱和水汽压力差进行计算。

$$E_a = 0.26(1 + Bu_2)(e_a - e_d) \tag{6}$$

式中饱和水汽压 e_a 和实际水汽压 e_d 同前文所述。

3.4.1 风速修正系数 B 的确定

风速修正系数,在日最低气温平均值大于 5 ℃且日最高气温与日最低气温之差的平均值 Δt 大于 12 ℃时,$B = 0.7\Delta t - 0.265$;其余条件下,$B = 0.54$,计算中采用 0.54。

3.4.2 地面以上 2 m 处的风速 u_2(m/s) 的确定

u_2 为地面以上 2 m 处的风速,其他高度的风速应换算为 2 m 高处风速;上海郊区的气象站一般都是测 10 m 高处风速,其换算式为:

11 月~翌年 4 月 $u_2 = 0.72u_{10}$

5~10 月 $u_2 = 0.80u_{10}$

3.5 各区县作物参考需水量

根据各区县的地理位置和气象资料,通过上述的计算,其作物参考需水量见表 7。

表 7   各区县作物参考需水量   (单位:mm/d)

区县	1 月	2 月	3 月	4 月	5 月	6 月	7 月	8 月	9 月	10 月	11 月	12 月
全市	0.94	1.15	1.75	2.24	2.90	3.18	4.39	4.41	2.96	2.03	1.26	0.89
闵行	0.91	1.11	1.64	1.97	2.54	3.26	4.57	4.44	2.96	1.88	1.19	0.64
嘉定	0.83	1.05	1.68	2.22	2.94	3.43	4.58	4.45	2.93	2.03	1.15	0.78
宝山	0.97	1.18	1.82	2.33	3.11	3.57	4.70	4.62	3.34	2.34	1.41	0.98
浦东	0.91	1.09	1.66	2.16	2.84	3.15	4.50	4.39	3.01	2.08	1.26	0.85
南汇	0.87	1.07	1.65	2.14	2.82	3.17	4.53	4.49	2.98	1.95	1.24	0.81
奉贤	0.91	1.06	1.66	2.17	2.89	3.28	4.56	4.45	2.93	2.03	1.23	0.84
松江	0.87	1.06	1.67	2.18	3.04	3.28	4.49	4.41	2.83	1.93	1.18	0.79
金山	0.91	1.34	1.64	2.18	2.93	3.23	4.20	4.40	2.62	2.30	1.22	0.81
青浦	0.88	1.07	1.67	2.15	2.88	3.25	4.12	4.27	2.73	1.91	1.17	0.79
崇明	0.86	1.09	1.66	2.19	2.91	3.27	3.71	4.07	2.78	2.03	1.30	0.75

4   作物需水量计算中 K_w、K_c 的确定

4.1 K_w 的确定

K_w 是土壤水分修正系数,由于上海地区气候温和湿润,处于平原河网地带,地下水位高,在一般情况下,$K_w = 1$。

4.2 K_c 的确定

K_c 是作物系数,其值可由当地或邻近灌溉试验站取得,或从作物需水量等值线图中查得。上海市在"机电排灌站八项经济指标考核"、"全国作物需水量图"及佘山、青浦两试验站的试验工作中,开展了水稻作物需水量试验。水稻的 K_c 值见表 8。

表 8 水稻 K_c 值

月份	5	6	7	8	9	10	资料来源
双季早稻	1.37	1.16	1.77				马桥观测站
双季晚稻				1.01	1.72	1.56	马桥观测站
单季稻		1.30	1.24	1.27	1.47	1.76	佘山农田水利试验站

5 结语

(1)根据国内的观测分析资料,用彭曼法测算作物参考需水量其精确度最高,可应用于上海地区,经过多年收集的有关资料分析,分区县研究其作物参考需水量,以供有关单位在规划、设计、水资源调度、自动化控制中作参考。

(2)由于长期以来农业生产以粮、油作物为主,灌溉试验也以水稻为主,缺少与现代化农业相适应的经济作物的作物需水量资料,今后应加强这方面的研究工作。

参 考 文 献

[1] 中华人民共和国水利部.灌溉与排水工程设计规范(GB50288—99).北京:中国计划出版社,1999
[2] 茆智,李远华.作物需水量等值线图原理绘制和应用.水利学报,1988(1)

新时期上海市灌溉试验工作面临的形势与任务

吴景社　李　瑜

（上海市水利排灌管理处，上海 200011）

灌溉试验是一项重要的基础性研究，不仅对合理确定灌溉供、用水量，实现精准灌溉及灌溉管理自动化，提高作物品质，减少因过量灌溉对水资源造成的面源污染等具有十分重要的意义和作用，同时还可为确定跨流域调水工程的适宜规模，以及水市场的建立、跨流域和跨国间的国际性河流水权确定等提供重要的参考依据。自 20 世纪 50 年代以来，我国陆续在全国建立了数百个灌溉试验站，开展了作物需水规律、高效灌溉制度、渠道量水、排涝防渍技术、改良低洼盐碱地等试验研究，取得了大量成果，对我国解决粮食问题发挥了较大的作用。但总体而言，与国外先进水平相比，不仅研究力量不足，而且所需设备和经费也十分匮乏。特别是近年来，受市场经济和偏重应用技术的影响，灌溉试验这一基础性研究工作的支撑力度和重视程度受到不同程度的削弱，试验工作处于半停滞状态。2003 年 4 月水利部召开了全国灌溉试验工作会议，同年 6 月下发了"关于加强灌溉试验工作的意见"（水农[2003] 252 号文），对全国灌溉试验工作进行了全面部署和具体安排，充分体现了新时期国家对灌溉试验工作的重视，也说明了灌溉试验工作在国民经济发展中的重要作用与地位。下面根据新时期上海灌溉试验工作的作用与地位，就其面临的形势与任务提出一些粗浅看法和设想。

1　上海市灌溉试验工作的作用与地位

1.1　上海灌溉试验工作是全国灌溉试验工作的重要组成部分

近年来，随着我国经济的迅速发展，水资源越来越成为制约国民经济发展的瓶颈。为解决缺水问题，党的十五届三中全会提出要把节水灌溉工作作为一项革命性措施来抓。灌溉试验工作作为这项事业的基础性工作，也受到了国家水主管部门的高度重视。

根据党的十六大提出的有条件的地方应率先基本实现现代化的要求，上海作为我国经济发达地区之一，理应率先基本实现现代化。作为可能率先实现现代化的国际化大都市，其各种资料与参数均具有很强的代表性，不仅可为本市现代化的进程提供重要参考与决策依据，同时对后来者也具有重要的参考与示范作用。

1.2　灌溉试验工作是实现郊区水利现代化的基础性工作

水利作为国民经济的基础设施和基础产业，在上海现代化建设中具有非常重要的支撑作用。实现郊区水利现代化是发展城乡一体化、加快农村城市化、推进农业现代化、实现农民市民化的迫切需要，是上海城市综合发展的需要，是改善人们生活质量和生存环境的需要。上海虽然水资源在总量上较为丰富，但近年来水质型缺水问题却日益突出，特别是南水北调东线工程建成后，各行业水量的再分配，也都需要科学准确的数据作为依据。另一方面，人民生活水平的不断提高，也要求农业为其提供日益丰富、安全、优质的绿色农产品，而科学的灌溉手段和技术也需要精确高效的灌溉制度作为规划设计的重要依据。因此，急需加强与重建上海市的灌溉试验机构,为整个上海市都市农业的可持续发展提供重要保证,同时也为实现郊区现代化这一总体目标保驾护航。

1.3 灌溉试验工作是减少面源污染、改善水环境的基础性工作

目前郊区生态环境建设中面临的一个突出问题是农业面源污染日趋严重,水环境质量急剧恶化。郊区农田农药、化肥施用量远大于国际平均水平,且灌溉排水方式粗放,对加重郊区河道水体富营养化和有机污染影响较为严重。

因此,开展相关污水灌溉、田间排水、生物治污、开发优质灌溉水源及排水模式和工程参数试验,不仅能直接减少与节约灌溉用水、用能,减轻农民负担,同时也为郊区水环境治理与改善提供科学依据,促进郊区水利沿着"安全、资源、环境"三者协调一体的方向健康发展。

1.4 灌溉试验工作是长江流域下游今后确定水权、制定水价及建立水市场的重要依据

水资源是基础自然资源,系生态环境的控制性要素;同时又是战略性经济资源,为综合国力的有机组成部分。上海大陆境域(不包括长江口、杭州湾)淡水资源中由境内降水产生的地表径流仅占总量的 3.1%,而由上游太湖来水和长江口进潮量组成(长江入海径流未计)的客水则分别占到 16.9% 和 80.0%。可见,客水在上海市水资源组成中占有绝对举足轻重的地位。当然,从目前甚至今后相当长的时期内上游和上海的用水需求来看,上海尚无水量上的缺水之虞。然而,随着长三角经济带的迅速发展和长江中上游地区经济的不断崛起,各地对长江水的用量不断增长,加上南水北调工程实施,到达上海的来水肯定呈减少趋势,很难说在大旱之年不会加剧上海的水质型缺水及海水倒灌问题。因此,会不会有一天,像黄河一样,随着各地用水量的不断增长,需要确定各地引水比例,即确定各地用水权呢?不管答案如何,未雨绸缪,从现在起做好相关研究与准备,无疑是今后开展此项工作的基础。

2 上海灌溉试验工作现状与问题

上海市历史上曾有佘山、青浦、嘉定、闵行和浦东 5 个试验站(点),曾取得大量科研成果和工程参数的基础资料,在上海市不同时期的水利工程建设中可以说是功不可没。而目前保留下来尚在运转的试验站则仅剩下佘山农田水利试验站和青浦区水利技术推广站 2 家,且均位于上海西郊。

2.1 佘山农田水利试验站

佘山农田水利试验站成立于 1984 年,位于上海市松江区西北部的佘山镇境内,为事业单位(自收自支),现有技术人员 9 名。测试项目包括大气降水、地表水、土壤水以及地下水在内的水平衡要素及农业与水利工程有关参数,观测项目达数十种。拥有 7.3 hm² 试验田和 134.7 hm² 的试验示范扩展区,具有一定规模。十几年来与中国科学院、武汉水利水电学院、上海交通大学农学院等单位联合,围绕上海郊区农作物的需水量与需水规律及低洼地涝渍治理的主题,开展农田水利综合科学试验,完成了近 50 多项课题的研究,其中有 17 项成果获上海市农委、松江区科委、上海市水务局科技进步特等奖、二等奖、三等奖,对促进农业生产发挥了重要作用。根据水农[2003]252 号文确定为全国 100 个中心灌溉试验站之一。

2.2 青浦区水利技术推广站

青浦区水利技术推广站位于上海市青浦区重固镇境内,属太湖流域下游感潮河网低洼圩区,于 1989 年 11 月成立。1999 年因上海青浦工业园区的开发,推广站又迁至距原站址以北 4.2 km 处,现有职工 9 人,为国家全额拨款的事业单位。开展的主要工作包括:①环保

和农田水利课题的研究任务;②水利科技推广;③兼顾区水务局科技科部分职能。试验工作主要针对上海郊区低洼圩区涝、渍灾害影响农业生产的主要矛盾,以及水环境日益遭受污染源的侵害等问题,探索综合治理低洼地和改善水环境的途径,开展环境水利和农田水利的综合科学试验,推广应用新技术及现代化系统的管理方法,为进一步改善农业生产条件,保持农业生态的良性循环,有利于调整农业产业结构,促进农业经济向专业化、商品化、现代化发展。根据水农[2003]252号文,确定为上海市灌溉试验重点站。

存在问题:①目前二站虽为事业编制,但其中一站的事业费尚未落实;②科研人员职称、学历距上级要求有一定差距;③设备与设施老化严重,更新资金缺口较大;④难以争取到有较大强度支撑的科研任务,对本市和当地郊区水利与农业发展的推动或促进功能未能充分发挥。

3 灌溉试验工作的形势与任务

出于对灌溉试验工作的重视,在国外,无论是美国、加拿大等国土面积广阔的工业大国,还是日本、以色列等国土资源或水资源相当紧缺的国家,不仅专门研究单位设备先进,而且技术推广单位也都拥有进行土壤、植物、气象、水资源等观测的仪器设备。野外试验观测大多是靠预先安设的传感器和数据采集系统以及蓄电池和太阳能充电板进行连续自动观测和数据记录,研究人员只需每周、半月甚至1月到现场用笔记本电脑取一次数据或检查蓄电池的状况,数据采集自动化水平高、连续性好,对环境和植物生长的人为干扰很小。并特别注重对诸如作物需水量、灌溉水利用系数等基本数据的连续、定位观测和数据积累。在国内,虽然整体水平与国外相差较大,但随着国家对这项工作需求迫切程度的增加,各地在人员配置、设备、资金等方面给予了全方位的支持,并结合自身特点开展了相关工作,有的已取得了阶段性成果。

上海郊区也处于由传统农业向现代农业快速转型的时期,迫切需要研究设施农业种植与养殖条件下,各种农作物和水产养殖的灌溉制度、需用水量与规律等,以及针对近年来上海地下水位埋深变化、地势低洼、涝渍灾害威胁严重的特点,继续加强排涝除渍等方面的试验。同时应围绕"安全、资源、环境"三要素,紧密配合郊区面临的生态环境治理需求,积极拓展研究领域,主动为生态建设与环境治理服务,开展减少农业面源污染的新技术、新方法方面的试验与研究。即除配合全国灌溉试验总站,承担全国性协作研究任务外,还要立足上海、立足所在区县,开展能为解决当地农业生产和环境治理发挥作用的研究任务。

(1)科学规划、合理布局。由于灌溉试验受地域、作物、气候、经济、社会等诸多因素影响,因此试验点的试验结果均在一定区域内具有代表性和适用性。故为掌握一定范围的情况,就需要在区域内均匀布点。为达到既具代表性、位置布置合理,又在满足需要的前提下,布点最少,就需对站点的位置、规模、人才结构、设备配备、设施建设,根据上海国民经济发展规划、水利区划、农业区划等进行科学规划、合理布局。

(2)落实经费、稳定队伍。由于灌溉试验是一项基础性很强的工作,试验站自我生存能力较弱。因此,水利部提出将其设为事业编制,要有专门的事业经费。建议应抓紧与相关部门的协调沟通,尽快落实试验站的经费渠道。

(3)横纵联合、拓展空间。灌溉试验虽属公益性的基础性科研范围,其产品形式主要为资料,很难直接成为商品,研究成果一般也很难直接服务于农民。但从广西桂林站、湖北漳河站等灌溉试验站的经验来看,和科研实力雄厚的高校及科研单位联合,找寻与当地生产紧密相关的研究课题,特别是国家攻关项目、863项目等支撑力度和意义均较大的大课题,一方面为大中专院校毕业生提供了实习基地,另一方面也可为本单位培养人才,提高科研水平,促进出大成果,提升影响力。再者也可为单位弥补一定的经费缺口。

(4)结合生产、谋求发展。任何一个事业有无生命力都在于其对社会有无贡献。作为灌溉试验站也应密切配合上海市,尤其是所在区水利中心工作与任务,开展对能够解决农业生产中的实际问题和水环境治理的突出问题的科学研究,实实在在地为当地农业发展提供支持,提升其在当地水利工作中的地位。目前青浦站已与上海市农科院开展了生物治理河道污染的有关试验,虽规模较小,但方向正确,宜坚持和发展。

(5)加强宣传、争取支持。要加强对工作成果的积累与总结提炼,寻找机会,向相关领导与部门加大宣传力度,充分展示取得的成果和对当地农业生产所发挥的作用。使之先在领导心目中有印象,后在当地水利行业中树立地位,赢得更多理解与支持。充分利用上海国际化大都市的地理与形象优势,密切与上级主管部门的联系,取得他们对上海灌溉试验工作的重视与支持,加快步入良性发展轨道的步伐。

南汇区东南片放水洗碱效果评价

陈志莉　　周敏杰　　陈　蕾　　董雄鹰　　杨永获

(上海市南汇区水务局,上海 201300)

1 概述

南汇边滩由于历史上不断向外扩张,层层围垦造地,形成了三个水系。腹部的钦公塘纵贯南北,将水系分隔成塘东、塘西两片,塘东片又以三三马路为界,分割为二(俗称路南片、路北片),分片水源各异。塘东成陆较晚,河床浅狭,河底一般高于塘西 50~100 cm,水源由原川沙县的三甲港、五好沟闸引长江水入境。抗战期间,日本侵略军修筑三三马路,截断了南北向的全部河流,造成北水不能南调,故路南片仅以保蓄雨量为惟一水源。塘西片属黄浦江水系,通过各通浦干河流入腹部,是境内主要水源。

南汇区属长江口冲积平原,随着滩涂东伸,先后筑塘垦殖,陆地不断扩大。但由于滩涂淤涨速度不一,围垦时间早晚不同,土地高程略有不同。

由于土地都是围垦海涂而成,故含盐度较高,一般为 2‰~3‰,俗称盐碱地。土壤按其成土年代大致可分:咸塘港以西 3 km 为潮泥土,占 7%;咸塘港至钦公塘 17 km 为黄泥土,占 40.5%;钦公塘至彭公塘,北部 3.8 km,南部 12.1 km,全属黄夹沙土,占 37.3%;彭公塘以西 1 km 范围,还有一条南北向的沙坎带,占 0.7%;彭公塘至人民塘 1.14 km 为沙夹黄土,占 14.5%;人民塘外 1.6 km 为盐沙土。

历史上曾采用许多办法来改良盐碱地,如种绿肥,积累腐蚀质,改善土壤成分,促使形成团粒结构,降低蒸发量,防止返碱;先灌淡水养鱼,促使土质淡化;适当深耕,改良土壤透水性,增强淋洗盐分的作用;开沟排水,降低地下水位;有条件的地区,换取客土,或铺一层厚黄泥,或每年施浇河泥,或铺草覆盖,等等。

新中国成立后,本区采用放水洗碱来降低河道水质含盐度,从而使土壤盐碱化程度得到改善。

2 放水洗碱的实施方案

1976 年本区实施放水洗碱作业,完整资料统计从 1980 年开始。担负放水洗碱主要工作的是芦潮港水闸。芦潮港水闸建于 1962 年,位于杭州湾口处芦潮港镇庙港村,属于排涝挡潮闸,闸室为三孔节制闸,净宽为 14 m,最大排水流量为 64.4 m³/s,平均排水流量为 50.0 m³/s。设计水位上游最高为 4.2 m,最低为 2.8 m,下游水位最高为 5.8 m,最低为 0 m。1976 年放水洗碱作业实施后,芦潮港水闸也为每年排涝洗碱、改善水质发挥了良好的效益。

放水洗碱实施过程中,南汇区水文站设立含盐度监测点(见表1、表2),担负着监测水质含盐度的工作。

表 1 1988～1994 年的 24 个盐度监测点所在河道和位置

样号	乡(镇)	取样点位置	样号	乡(镇)	取样点位置
1	随塘河	芦潮港水闸内	13		随塘河团结村
2		五七水闸	14	书院	五尺沟粉末厂
3		彭三大队	15		里灶商店桥
4	彭镇	彭二车站	16	万祥	新万港马弄堂港
5		万彭河公社桥	17		果园四队万红港
6		万彭河人民河	18		白龙港四灶港
7		果园南跃进桥	19	新港	横路港小洼港桥
8	果园	庙港河随塘河	20		白龙港新开港桥
9		窑厂桥下	21		火炮连中港
10		黄沙港黄沙校桥	22	老港	水晶宫
11	泥城	兴隆电灌站后桥	23		三灶港内朝阳场部
12		横港三队桥下	24	东海	大沙路港朝阳水闸

表 2 1995～2005 年 20 个盐度监测点所在河道和位置

样号	乡(镇)	取样点位置	样号	乡(镇)	取样点位置
1	随塘河	芦潮港水闸内	12	书院	五尺沟粉末厂
2		五七水闸	13		里灶商店桥
3		彭三商店	14	万祥	果园四队万红港
4	彭镇	万彭河公社桥	15		新万港马弄堂港
5		万彭河人民河	16	新港	白龙港四灶港
6		果园南跃进桥	17		白龙港新开港桥
7	果园	庙港河随塘河	18	老港	白龙港中港
8		窑厂桥下	19	东海	三灶港内朝阳场部
9		黄沙港黄沙校桥	20		大沙路港朝阳水闸
10	泥城	兴隆电灌站后桥			
11		横港三队桥下			

2.1 协调工作

首先由南汇区防汛指挥部与邻近区(主要指奉贤区)防汛部门共同协商,确定放水洗碱实施时间,一般定在每年农历正月初九至正月十七,历时 9 天。因为这段时间农活较少,内河水位一般也很小,容易排干。时间确定后与航务部门取得联系,请航务部门对上述地区在上述时间内发禁航通告,告知船户,确保航运安全;最后由防汛指挥部负责水闸管理单位组织实施。实施前先向周边地区发放告知书,加强与当地政府、渔政、边防的联系,告知上述内容,并请有关部门提供帮助。同时在闸管区张贴告示,于运行前几天进行广播宣传,加强宣传与告知力度,确保排水安全。同时对内外港河船舶停靠进行清理,为安全运行提供保障。上述告知与协调工作一般在实施前 20 天完成,确保放水洗碱工作的顺利进行,达到预期的效果。

2.2 水资源调度

水资源调度工作一般历时 12 天,需要三闸密切配合,才能达到预期效果。

每年正月初九是小汛水,水位涨潮较慢,潮差较低,时间较短,因此到这一天落潮时,担负着放水洗碱主要工作的芦潮港水闸就开始打开所有闸门,向杭州湾排水。具体在每年的农历正月初九起至正月十一,用 3 天时间由芦潮港出海闸在落潮时外海潮位低于内河水位时开始排水,至外海潮位涨至与内河水位相平前停止排水,一天两次,日夜排水,尽量降低水位,将含盐度高的水排到海里;农历正月十二至正月十五,用 4 天时间边引边排,即由大团平桥、棉场两座水闸开闸引大治河水,同时芦潮港水闸开闸排水,这段时间引清水冲洗含盐度高的水。农历正月十六至正月二十,用 5 天时间只引不排,使内河水位提高到 2.5 m 的正常水位。在放水洗碱过程中,三个水闸引、排水量见表 3。

表 3　三个水闸历年排水量

年份(年)	芦闸排水量(万 m³)	大团、棉场引水量(万 m³)
1994	1 233	1 059
1995	1 316	1 314
1996	1 358	1 495.5
1998	1 390	2 328
1999	953	1 455
2000	1 001	2 318
2003	1 312	1 409
2004	1 817.6	1 333.8
2005	1 919.7	1 333.8

2.3 水质监测工作过程

放水洗碱过程中对水质的监测主要是含盐度。含盐度监测点的设置见表 4。每月监测两次,上旬在 5 日左右,中旬在 20 日左右监测,每个断面表层采样。资料系列为 1980～2005 年(其中缺 1982、1983、1991 年资料,东海和老港资料 1988 年～2005 年 5 月)。

表 4　各年份盐度监测站点数

监测站点	时段(年)	监测站点数(个)
东海	1988～2005	2
老港	1988～2005	2
新港	1980～1987	7
	1988～1994	3
	1995～2005	1
万祥	1980～1987	7
	1988～2005	2

监测站点	时段(年)	监测站点数(个)
书院	1980~1987	6
	1988~1994	3
	1995~2005	2
泥城	1980~1987	7
	1988~2005	3
果园	1980~1987	6
	1988~2005	3
彭镇	1980~1987	10
	1988~1994	4
	1995~2005	3
随塘河	1980~1987	7
	1988~2005	2
总计	1980~1987	50
	1988~1994	24
	1995~2005	20

3 放水洗碱效果评价

由于历史的原因,南汇区东南片是一个独立封闭的水系,有 8 个镇和 2 个国营农场,共有 1.13 万 hm² 农田。由于地处沿海,成陆时间晚,土壤含碱成分重,水质含盐度高达 2‰以上,严重影响农业生产和人民生活及身体健康。水利部门从 20 世纪 70 年代以来,几乎每年都进行放水洗碱来提高粮食产量、降低含盐度和改善水质。本文根据水质含盐度资料、粮食产量来分析 30 年来含盐度的变化以及粮食产量的变化,证明放水洗碱后达到的良好效果。

根据东南片东海、老港、万祥、新港、彭镇、泥城、书院、果园、随塘河 9 个盐度监测点的含盐度资料(详见表 2),分别从年内、年际变化进行分析评价。分析资料年限为 1980 年~2005 年 5 月(其中缺 1982、1983、1991 年资料,东海和老港资料为 1988 年~2005 年 5 月)共23 年资料。据南汇区水文站几十年来对区内河道水体的含盐度监测资料表明,本区含盐度水平分布呈东南高,西北低,其中随塘河含盐度最高,其次是果园、泥城,含盐度最低的是路北片的东海,其次是老港、万祥。在时空分布上,丰水淡,枯水咸。

3.1 年内变化分析

由图 1 可以看出,每年农历正月初九至正月十七放水洗碱以后,除东海、老港和新港外,其他监测点含盐度均呈下降趋势,放水洗碱效果很好。汛期由于降水量较多,地表径流较大,故含盐度达到最低。其中,随塘河、果园放水洗碱后的效果最为明显。

由于重盐海水通过地下径流不断渗入本区,汛期以后含盐度又开始缓慢增加,至年底和第二年初又恢复到较高值。

3.2 年际变化分析

由图 2 可以看出,从 20 世纪 80 年代至 2005 年,除随塘河 90 年代有所上升外,其他各

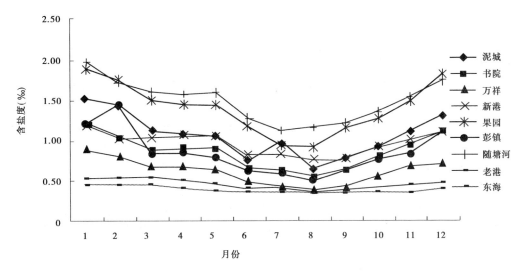

图1 各盐度监测点年内变化曲线

监测点含盐度均明显减少,其中,泥城减少得最多,从80年代的1.31‰下降到近6年的0.70‰,下降了46.6%,其次是书院和新港。盐度减少最少的是随塘河和果园,分别下降了17.0%和18.7%,见表5。

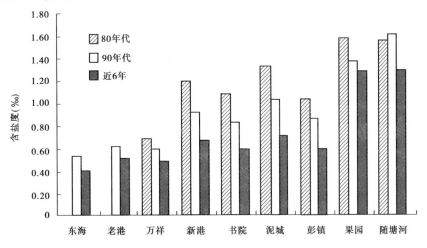

图2 各盐度监测点年际比较

表5 三个年代含盐度比较

监测点	万祥 (‰)	减少百分比 (%)	新港 (‰)	减少百分比 (%)	书院 (‰)	减少百分比 (%)	泥城 (‰)	减少百分比 (%)	彭镇 (‰)	减少百分比 (%)	果园 (‰)	减少百分比 (%)	随塘河 (‰)	减少百分比 (%)
80年代	0.68	13.2	1.19	23.5	1.07	23.4	1.31	21.3	1.02	16.7	1.55	12.9	1.53	-3.9
90年代	0.59	18.6	0.91	27.4	0.82	28.0	1.03	32.0	0.85	31.8	1.35	6.6	1.59	20.1
近6年	0.48		0.66		0.59		0.70		0.58		1.26		1.27	

4 结语

4.1 放水洗碱30年的总结

南汇区东南片含盐度路南片高于路北片,其中随塘河含盐度最高,其次是果园、泥城,含盐度最低的是路北片的东海,其次是老港、万祥。

30多年来,每年在农闲季节对东南片水系进行一次大规模的引淡洗碱调水作业,改善了水质并改良了土壤。南汇区水务局也在其他水利设施配套下进一步做好放水洗碱工作,不仅每年集中进行一次,还经常性地引水、翻水,为创造好的投资环境,早日实现"港口城镇"和可持续发展经济,改善人民生活质量而努力。

放水洗碱30年来,东南片水系含盐度明显下降,下降最多的泥城从20世纪80年代的1.31‰下降到近6年来的0.70‰,下降了46.6%,但也有部分监测点下降趋势不明显,如随塘河和果园。

近年来实施的夹塘水系整治工程,打通了封闭的独立水系,也为实现全市统一调水奠定了基础。至此,放水洗碱工作完成了它的历史使命。

4.2 今后工作设想

(1)打通钦公塘、统一浦东大水系。夹塘地区一期水系整治工程,经过5年来的奋战,已顺利完成,通过大规模疏浚并开挖河道、改造电灌站、修建渡槽、倒虹吸、建设生态护坡等,改善了当地水质,提高了农田灌溉保证率,也为临港新城建设打下了良好基础。

(2)目前东南片的水体含盐度在0.7‰,约为380 mg/L,离农业用水的250 mg/L的标准还有一定的差距,还须进行水资源调度来解决水体中的盐分。

浅析发展设施菜田节水灌溉技术的对策

邵益兵

（上海市金山区排灌管理所，上海 201500）

金山区是上海市重要的蔬菜生产基地，是上海市的菜篮子。建区以来，菜田得到很大发展，近年来为保证人民生活的需要，金山区大力促进了设施菜田的建设，但随着周边地区工业建设的加快及对水环境保护的忽视，灌溉水源污染严重。据统计，金山区共有 20 条主要骨干河道，总长 182.8 km，其中 V 类水河长 22.8 km，占 12.5%；劣 V 类水河长 160 km，占 87.5%。水质的恶化严重制约了菜田建设的进一步发展。菜田用水资源的开发是很困难的，它投资大，见效慢，受地理条件和资金等限制较大，短期内不能解决大面积的农用灌溉问题，节水灌溉不失为一种行之有效的解决水资源匮乏的好方法。大力推广菜田节水灌溉，是从根本上解决菜田缺水问题的重要措施。

1 金山区设施菜田节水灌溉的发展现状

金山区通过几年前的"家家富"工程及近年的现代农业开发，已拥有相当数量的各类温室大棚，主要种植各种时令蔬菜、花卉和经济作物，绝大多数采用传统的畦灌，水的利用率只有 40%，灌水定额为 9 000～12 000 m³/hm²，进入 20 世纪 90 年代，我国开始大面积推广节水灌溉技术，先后开发和引进先进国家的温室灌溉设备，主要是滴灌、微灌和与之相配套的设备，促进了设施菜田节水灌溉设备的生产和应用。金山区已开始大面积推广温室大棚滴灌设备，节水效果十分明显，灌水定额仅为 5 000 m³/hm² 左右，增产 20%～100%，提高了作物的品质，节省劳力，为发展工厂化菜田奠定了基础。

目前金山区设施菜田节水灌溉发展中存在的主要问题是：

（1）当前国际国内对农业灌溉用水的要求越来越高，而金山区灌溉水源大都无法达到现代农业灌溉用水的标准。对灌溉用水进行净化的呼声越来越高，而采用传统的水处理方法不仅技术要求高、管理复杂，而且运行费用、能耗也很高。

（2）渗灌和地下滴灌具有减少水分蒸发、向根系供水及时等优点，但金山区目前的渗灌或地下滴灌工作中遇到的主要问题是制造工艺差和滴孔堵塞。由于加工工艺不过关导致渗灌管出流不均匀和由于管路供水停止后在滴孔处形成负压导致滴头（孔）吸土堵塞等原因，大大限制了这种微灌形式的推广。迄今为止，设备生产厂家尚未对此给予充分的重视。

（3）在微灌的关键技术和前沿的研究及开发方面，如滴灌带、滴头的抗堵塞能力和实现灌溉—施肥、灌溉—施药、灌溉—生长调节剂等的一体化联合运作及地下微灌方面，与国际水平和生产实践的要求还有很大的距离；微压力滴灌系统的研制和国产化工作尚未开展。微灌产品或寿命短，或价格高，是制约设施菜田微灌事业发展的症结。

2 国外设施菜田发展现状

设施菜田温室栽培虽然早有萌芽，但真正作为一个产业得到大规模的发展，是到 20 世纪下半叶才开始的。目前设施菜田最发达的国家有荷兰、以色列、美国、日本等。

以以色列为例,该国是第二次世界大战后建立的犹太人国家,国土面积只有 2.7 万 km^2,其中 2/3 的土地为丘陵和沙漠,由北向南年降水量从 600 mm 递减为 30 mm,变幅极大。而且,因受地中海气候的影响,夏季炎热无雨,淡水资源极端贫乏。其人均水资源只有中国的 1/6,不到全世界人均占有量的 1/30。恶劣的条件迫使以色列在水资源管理及节约利用方面投入了大量的财力和物力,也促使其形成了一套较为完整的水资源管理与利用科学体系。目前,该国的节水灌溉技术和产品均已走在世界的前例。

以色列现有 3 000 hm^2 自控温室,覆盖材料多为塑料薄膜,骨架材料多为镀锌钢管和铝合金,每公顷投资最高达 60 多万美元(约合每平方米 500 多元人民币)。60% 温室种植蔬菜,主要作物有西红柿、黄瓜和甜瓜。以色列温室蔬菜生产产量相当高,全自动控制温室每年西红柿的产量可达 500 t/hm^2。

3 大力发展设施菜田节水灌溉的对策

上海人口众多,在解决吃粮问题的同时也不能忽略吃菜的问题。随着人们生活水平的提高,对时令蔬菜的需求量会越来越大,供需矛盾会越来越突出,发展设施菜田进行设施菜田种植是解决这一问题行之有效的方法。发展设施菜田种植再用传统的畦灌,不但是对水资源的浪费,对提高作物的产量和品质也是无益的,所以今后设施菜田的灌溉方式主要是大力发展节水型灌溉,逐步向适时适量、按需灌溉方向发展,这也是今后节水灌溉设备开发和研制的重要方向。概括起来,主要集中在如下几个方面。

3.1 多学科技术集成化

温室节水灌溉是一个系统工程,涉及的专业和领域比较多,单独地研制或生产某一个部件,都不能完全发挥系统的综合效益。

在温室菜田生产中,合理灌溉技术的关键是控制灌水的均匀度,以适量的水进行适时灌溉,既能满足作物对水的需要,又不致造成温室土壤含水量和空气湿度过大,引起作物发生各种霉病,从而达到提高作物品质、增加产量和节水节能的目的,这是设施菜田节水灌溉设备研究的关键技术和追求的目标。欲达到此目的,就必须深入研究作物生长过程中的需水信息和环境因素。利用计算机自动控制灌水时间和灌水量,达到适时适量、按需灌水。按照作物生长过程中对水、肥、药、环境等的需要,开发适合不同设施菜田作物需要的设备,将灌溉、施肥、植保、栽培、管理和环境控制等技术有机结合,才能真正满足设施菜田发展的需要。

3.2 灌溉系统多功能化

设施菜田节水灌溉的发展是以水分高效利用、资源合理配置为宗旨,以最大限度提高设施的利用和产出效率为目的。因此,灌溉系统也必须增强其多方位服务的功能。就目前现状看:①研究微灌条件下水、肥、药高效利用技术,包括精量注肥技术及设备、水动精量注肥器、精密低成本流量计等;②研制在微灌系统中具有最小结晶度的液体肥料,针对不同作物、不同蔬菜和不同果树研制相应的专用液体肥料;③以最优产量和品质及防止地下水污染为目标的氮、磷、钾的高效利用技术研究;④基于水、肥高效利用目的,在微喷灌、滴灌条件下针对作物、瓜菜和果树用水需求的灌溉制度;⑤氮、磷、钾施用技术和根区盐分冲洗制度;⑥按照作物生长过程中对水、肥、药、环境等的需要,开发适合不同设施菜田作物需要的设备,以满足设施菜田发展的需要,等等,都是今后发展微灌事业的重要任务和努力方向。

3.3 灌溉系统设备国产化

今后设施菜田的灌溉方式,主要是向适时适量,按需灌溉的节水型灌溉方向发展,在温室成套灌溉设备的开发与技术方面,金山区还远落后于发达国家的水平,根据金山区温室灌溉的现状,要达到适时适量灌溉,需要解决的关键技术问题还很多,这些技术和设备在我国还处于研究和待开发阶段,还远远不能满足温室灌溉的需要。目前市场上的温室灌溉关键设备中,进口产品占有了绝对的比重,而且仍在呈增长趋势。进口设备固然有质量好、品种全的优点,但其价格昂贵,大大制约了节水灌溉的迅速发展,而且有些产品也不适合我国的国情。因此,加速开发和研制适合我国国情的成套、适用、可靠、先进的节水灌溉成套设备,替代进口产品,是我们今后的重要任务和努力方向。

开发适合不同作物需要的滴灌管(带)、微喷头、具有自动反冲洗功能、水头损失小、过滤性能高的各类形式过滤器、灌溉专用控制阀、施肥泵、压力调节器、各种管路连接件、自动控制系统及相应软件等。这些技术和设备在我国还处于研究和待开发阶段,还远远不能满足国内节水灌溉的需要。

开发、研制和完善适合金山区农情的微灌系列设备,并促进形成产业化,是金山区设施菜田节水灌溉急需解决的技术问题,也是金山区今后菜田节水灌溉发展的总趋势。

3.4 设施菜田建设标准化

现代设施菜田的建设投入较高,为确保经济效益,设施菜田的建设应注重规模化和标准化。从金山区设施菜田建设现状看,设施菜田建设面积偏小,建设区域较分散,经济效益不高。今后设施菜田建设应保证连片面积在 33 hm^2 以上,土地平整,路沟渠硬质化、网格化,便于机械化作业。

3.5 灌溉用水无害化

在全区水质整体改善以前,采用先进的净水工艺是确保灌溉用水无害化的必要措施。结合金山区实际情况,推广人工湿地水质净化技术既能达到净化设施菜地灌溉用水的要求,又能降低能耗,提高经济效益。

人工湿地系统是一种生态系统,系统建有一系列水平高差由高到低的植物池时,池内填有特殊的填料,在填料上种植特定的湿地植物,当污水在重力作用下依次通过阶梯式植物池,污染物质和营养被植物系统吸收或分解,使污水得到净化。特殊填料由两部分组成,上部是特殊土壤,是采用一定材料配比制成的生物载体,既适宜湿地植物的生长,又有一定的孔隙。污水中的有机物在特殊土壤中被吸附、聚集并在土壤中微生物的作用下得到降解;同时污水中的氮、磷、钾等作为植物生长所需的营养物质被湿地植物根系吸收利用,经过土壤和土壤中微生物的吸附降解作用,以及填料的渗滤作用和植物的吸收作用,最终使进入湿地系统的污水得到有效净化;下部是不同级配的砾石滤料,底部埋设集水管收集灌溉用水。

降低对水体富营养化贡献率的灌溉技术研究

赖海珍

(崇明县水利排灌管理所,上海 202150)

崇明县地处西太平洋沿岸中点、上海北翼的长江口,素有"东海瀛洲、长江门户"之称,是中国的第三大岛和全世界最大的河口冲积岛,面积 1 225 km²,人口 64 万。岛上水洁、风清、土净,是上海最具潜在战略意义的发展空间之一。21 世纪初的崇明将凭借特殊的岛屿格局、近便的理想位置、良好的生态环境、广阔的土地资源四大优势,在上海城市整体布局中发挥后发效应,成为上海 21 世纪初期选择的战略重点地区之一。到 2020 年,崇明将基本建设成为以优美的生态环境为品牌,以闻名的游乐度假为主导,以发达的清洁生产为支撑,环境优美、经济发达、文化繁荣、保障健全、城乡融合的世界级城市——上海的生态岛区和最优美的"海上花园",成为国内领先、国际一流的人类生态环境与生态活动示范岛区,同时也是上海连接长江三角洲和沿海大通道的北翼纽带。

生态岛的建设目标要求有良好的河道水质为保证,本文正是基于此出发点,结合本地情况,从农田排灌方面粗浅地探讨降低对水体富营养化贡献率的灌溉技术。

1 沟河富营养化成因分析

富营养化现象是一种氮、磷等植物营养物质含量过多所引起的水质污染现象。由于将含有大量氮、磷等营养元素的生活污水和工业废水排入了河、湖,从而使水生植物大量生长繁殖,引起水质恶化的现象,叫富营养化。富营养化之所以能使水质恶化,是因为大量繁殖的水生植物死亡之后,其分解过程能使水中的溶解氧下降;藻类的大量繁殖则可使水变成绿色或棕红色,并产生臭味,从而使鱼类大量死亡。近 30 年来由于合成洗涤剂、肥料和废弃物的大量排放,增加了水中氮、磷等营养成分,加快了水体富营养化的进程。

水体富营养化过程与氮、磷的含量及其比率密切相关。根据相关研究,水体发生富营养化最主要的影响因素为:①总磷、总氮等营养盐相对比较充足;②缓慢的水流流态;③适宜的温度条件。

有文献报道,当总磷浓度超过 0.1 mg/L(如果磷是限制因素)或总氮浓度超过 0.3 mg/L(如果氮是限制因素)时,藻类会过量繁殖。经济合作与发展组织(OECD)提出了控制湖泊富营养化的一组指标:反映营养盐水平的指标——总氮、总磷,反映生物类别及数量的指标——叶绿素,反映水中悬浮物及胶体物质多少的指标——透明度,并确定指标量为:平均总磷浓度大于 0.035 mg/L;平均叶绿素浓度大于 0.008 mg/L;平均透明度小于 3 m。

所以防止富营养化,首先应控制营养物质进入水体。

而从农田流入水体的化学氮、磷肥是造成沟河营养化的重要原因。将农业生产从常规方式转向有机方式,则可以从根本上解决这些问题。

2 崇明县沟河富营养化现状

崇明县是一个农业大县,耕地面积约占岛域面积的 42%,其中主要种植的作物为稻、小麦和蔬菜,年化肥施用量约为 45 500 t。

化肥的大量施用和不合理施用,主要表现在过量施用氮肥和磷肥、钾肥施用不足与区域地区间分配不平衡,从而导致土壤板结、耕作质量差、肥料利用率低、土壤和肥料养分易流失,造成对地表水、地下水的污染,湖泊富营养化。根据崇明县 2001 年水资源普查报告,沟河中来自农田径流的氮和磷负荷分别占总负荷的 35% 和 68%,而工业废水对氮和磷的贡献率仅占 10%～16%。其他科研成果也表明,面源污染物越来越成为导致江河湖库富营养化的主要原因之一。

资料显示,崇明县的沟河总氮含量约为 0.329 6 mg/L,总磷含量约为 0.119 mg/L,最高值 0.157 mg/L;崇明县河道的底坡一般为 0,水流动缓慢,水流动的动力主要靠水闸引排水时的水位差;崇明县属亚热带季风性气候,空气湿润温暖,常年平均气温 15.7 ℃,四季分明。以上表明,根据有关标准或资料,崇明县的沟河水质已经富营养化了。

3 降低对水体富营养化贡献率的灌溉技术

3.1 推广实施水稻控制灌溉

一般认为,水稻在淹水条件下才能正常生长,田面必须保持足够深的水层,才能满足水稻生理生态需水要求。但从生产实践来看,在水稻分蘖后期进行烤田,起到了抑制无效分蘖、提高有效分蘖的作用,具有明显的增产效果,也能减少化肥和农药的施用量,降低化肥和农药流失对河道产生的污染。水稻控制灌溉技术主要是在水稻栽插后,稻田返青期保持5～30 mm 的水层,以后各生育阶段不需保留水层,以根层土壤含水量作为控制标准,确定灌水定额,土壤含水量控制上限为饱和含水量,下限为土壤最大持水量的 60%～70%,黄熟期断水。该技术为河海大学专利技术,结论性的成果表明,运用"水稻控制灌溉技术"可以节约灌溉水量 56%,减少需水量 40.7%,水稻增产 11.7%,达到每公顷 9 000～10 500 kg,而且稻米品质有所提高,生态效益和社会效益突出。

3.2 加快泵改速度,推广高效泵

崇明县机电排灌站始建于 1959 年,绝大部分泵站建于机电灌溉大发展的六七十年代。从对这部分泵站抽样测试得知,其平均装置效率为 34.4%。更为严重的是,有一些轴流式水泵运用多年后,由于老化,马鞍形扬程提前,流量急速下降一半,严重地影响了灌区的正常灌溉。

在普查测试的基础上,崇明县从 1992 年开始进行了以全面推广应用 350ZLK 立式开敞泵为主要内容的泵站技术改造。之前的 1991 年 10 月,水利部农水司组织有关专家对该泵进行了技术鉴定。鉴定认为,该泵型式新颖,效率高,流量大,泵体结构简单,运行平稳,安装维修方便,装置最高效率为 65.21%,超过了水利部规范 50% 的标准,达到了国内外同类产品的先进水平,是一种适用于低扬程地区的高效节能泵装置。1992 年 8 月,上海市水利排灌管理处特邀武汉水利电力学院李济珊教授和江苏农学院刘超副教授,对同时在上海有关郊县试验的另外两种低扬程轴流泵和一种低扬程混流泵进行现场测试。结果表明,350ZLK泵站最大装置效率为 65.21%,分别比其他三种泵站高出 5.95、7.16、7.48 个百分点。因

此,加快泵改速度,推广高效泵,其节能的经济效益非常明显。

另外,结合崇明大量种植蔬菜的现状,对主要蔬菜区的泵改应结合节水灌溉方式——滴灌、喷灌以规模园区来进行。微灌技术的优点很多,单从本文角度来讲,微灌能降低用水、用肥、用药量,并且只是湿润灌溉,这就使农药、化肥污染基本不会流失到河道水体,能大大降低因农药、化肥流失到河道水体产生富营养化的概率;另一方面,用水量的减少,当然也会减轻河道污染水体对土地的再次污染。

3.3 大力建设防渗渠道

输水渠道渗漏是水资源浪费的主要方面,建设渠道防渗工程,是节约用水、实现节水型农业的重要内容。资料表明,如果全国灌溉渠系防渗率提高 0.1,则每年可节约用水量 344.5 亿 m^3。从本文讨论的角度来讲,建设防渗渠道,可以提高水利用系数,同等条件下可以降低用水量,减少河道污染水质的重复利用污染。

崇明县从 1997 年开始推广使用 U 形防渗衬砌渠道,具有显著的省水、节电、输水速度快、施工维修方便以及节省土地、无须渠道除草等优点,目前已经发展到约 1 200 km(含部分方板衬砌渠道)。

崇明县已经被批准作为一个独立灌区,控制面积约 1 200 km^2,为中型灌区,根据规范规定,中型灌区渠道防渗率不应低于 50%;而资料表明,崇明县目前渠道防渗率仅为 33%,按此要求,尚需建设防渗渠道 821 km,按平均每公里投资 8 万元计算,需 6 568 万元的建设资金,这对于财政薄弱的崇明县来说,任重而道远。

4 结语

本文通过对产生水体富营养化的成因分析以及崇明县水体富营养化的现状,提出了针对降低对水体富营养化贡献率的一些灌溉技术。笔者认为,在大力建设崇明生态岛的阶段,农业必然仍将保持较高的比例,因此采用适当的节水灌溉技术,能保持并提高崇明的水质状况,为崇明的可持续发展,为崇明天更蓝、水更清、岛更绿的生态环境建设目标打下坚实的基础。

参 考 文 献

[1] 水利部农村水利司.渠道防渗工程技术.北京:中国水利水电出版社,1999
[2] 国家环保总局.湖库富营养化防治技术政策(环发[2004]59 号)
[3] 水利部农村水利司.节水灌溉技术规范(SL 207—98).北京:中国水利水电出版社,1998

设施农业土壤盐渍化防治研究

陈林兴　　黄春霞

(上海市青浦区水利技术推广站,上海 201707)

随着国民经济的发展,由于设施农业的高产、高效、市场调节灵活等优势,越来越受到农民的青睐。青浦设施农业始于 20 世纪 80 年代,以种植蔬菜为主。至今,大棚面积已发展到 430 hm²,其中单元型管棚 400 hm²,连栋管棚 30 hm²。种植作物已扩展到瓜果、花卉、食用菌等数十个品种。赵屯素有"草莓之乡"的美称,其草莓产量和质量在国内享有很高的声誉。设施农业的发展,给赵屯草莓这一特色农业提供了美好的发展前景。但大棚土壤盐渍化现象,常常困扰着人们。以草莓大棚为例,大棚生产的时间越长,土壤盐渍化越严重,引起草莓外表变形且失去光泽,品质变差。如何防范大棚内土壤盐渍化,是本文研究的目的。

1　大棚土壤盐渍化现象及危害

大棚以种植旱作作物为主,生育期需水量少。以草莓为例,11 月至次年 6 月,全生育期总需水量约 460 mm,其中绝大部分消耗于棵间蒸发。大棚内的灌溉方式一般采用畦灌、沟灌,条件较好的地区则采用喷灌和滴灌。对赵屯连续种植 3、5、7、10 年草莓大棚内 0～30 cm 表土混合土样盐分进行的测定结果见表 1。

表 1　赵屯草莓大棚土壤盐分测定　　　　　　　　　(单位:mg／kg)

测定项目	本底值	3 年	5 年	7 年	10 年
Ca^{2+}	18.30	26.04	31.94	58.68	80.16
Mg^{2+}	5.80	7.61	8.10	12.93	19.83
Cl^-		5.04	25.20	32.75	52.91

从表 1 可以看出,0～30 cm 土壤混合体中的 Ca^{2+} 和 Mg^{2+} 随大棚种植年限的延长而增大,特别是 Ca^{2+},种植 10 年的含量较本底值增加了 3.4 倍;Cl^- 种植 10 年的含量高达 52.91 mg/kg,较种植 3 年的大棚增加了 10 倍以上。若从耕作层的表土取样测定,各种盐分测定值会更高。

2　原因分析

大棚内表土严重积盐,与土壤水分的运动形式有着直接的关系。大棚一般以种植旱作作物为主,其生育期需水量不高,以畦灌、喷灌甚至滴灌等灌溉形式,足以满足其生育期需水要求。但大棚内持续高温引起的土壤层强烈蒸发,是目前采用的灌溉方式,特别是滴灌所满足不了的。因此,地下水通过毛细管的作用源源不断地补充到表土。青浦区地处长江三角洲前缘,水文地质单元隶属长江三角洲平原区,地表广为第四纪松散堆积物所覆盖。由于在长期的地质年代里,上海地区经过五次海浸海退的过程,第四纪潜水层,其水化学类型主要为 Cl 或 Cl·HCO₃—Ca·Na 型,矿化度高,Cl⁻ 的含量在 400 mg/L 以上。因此,溶解于潜水中的盐分也随之带到表土层不断积累,形成了大棚土壤盐渍化。

以赵屯草莓大棚为例,连续种植 3～5 年,表土泛白,呈积盐迹象,草莓产量逐年下降,外表变形且缺乏光泽,品质变差。大棚种植 10 年,由于土壤严重盐渍化,已不能种植作物,为此迁址他处之大棚不在少数。

3 防止大棚内土壤盐渍化的技术措施

笔者在调查中了解到,种植草莓的大棚,其棚内周围地带的草莓长势较其他区域为好,其产出量也高。因为大棚外地表经常接收到降雨,充分饱和的棚外土壤水,不断地向棚内渗透,从而在棚内四周土壤中形成了一个浸润带,土壤水分充分,保证了草莓生育期需水要求。由此可见,只要大棚内土壤中保持充足的水分,无须在棚内对表土实施灌溉,也可以满足棚内作物生育期需水要求。关键在于如何使棚内土壤始终保持充足的水分,如何使地下水源源不断地向表土供给,既满足棚内作物生育期需水要求,又不利于表土盐分的积累,笔者认为,可以通过渗灌的方式达到目的。

在大棚建设过程中,往往配套有地下塑料暗管和周边水泥板明渠。具体实施办法是:地下暗管接通水泥板明渠,在水泥板明渠的进水处设置自动控制装置,使明渠中的水位恒定。明渠中恒定的水位值应根据大棚内不同作物适宜的进水埋深而确定。明渠中的水系适于灌溉的地表水,通过暗管补充到大棚地下,使大棚内地下水分为两个水层面。暗管以上为矿化度很低的外来灌溉水,暗管以下为矿化度很高的原地下水。由于暗管渗灌水远比原地下水向上垂直运动得流畅、快捷,且源源不断得到补充,大棚内作物生育期需水和表土强烈蒸发的水源得到保证,Cl⁻ 含量极高的原地下来水向上运动受到压抑,从而可防止大棚表土盐渍化。

青浦区水利技术推广站于 2002 年对大棚内灌溉方式做过一年的专题试验,其结果见表 2。

表 2 大棚不同灌溉方式对比试验结果 （单位:mg/kg）

灌溉方式	土壤盐分		
	Ca²⁺	Mg²⁺	Cl⁻
本底值	18.3	5.8	45.3
渗灌	18.4	5.8	45.3
喷灌	24.3	7.0	52.1

从表 2 可以看出,由于在大棚内实施喷灌,本地含有高盐分的地下水源源不断地上升到地表,表土盐分积累很快。采用渗灌,本地地下水的上升受到抑制,一年后表土盐分与本底值几乎无变化。可想而知,如采用滴灌,大棚内土壤盐渍化过程将更快。

青浦区在设施农业中推广渗灌技术,主要是防止土壤盐渍化的需要,也是节水农业发展的要求。从技术角度讲,关键在于如何控制渗灌水的地下水埋深。地下水埋深太浅,容易造成作物烂根、烂茎现象。地下水埋深过深,上层土壤水分不足,满足不了作物生育期需水要求,可能造成减产。因此,需对各种作物、各不同生育期的需水要求进行研究,还需对地下水埋深与上层土壤水分关系进行研究,以便确定大棚内不同作物、不同生长期地下水适宜埋深。以草莓为例,地下水埋深控制在 0.3 m 左右为宜。因大棚内地下水埋深以进水明渠水位控制,生产人员只要根据作物不同生育期改变一下明渠控制水位,就能满足作物的需水要求,比之畦灌,喷灌等,既省力,又省灌水设备的资金投入。

4 对有积盐迹象土壤的治理研究

在天然条件下,特别在持续高温的日子里,作物在生长过程中的需水和棵间蒸发也有相当一部分来自地下水,也有一部分盐分被带到地表。之所以没有出现表土严重积盐现象,是因为天然降水的淋洗作用,一部分盐分被地表径流带走,一部分盐分经过土壤渗流,或排入排水沟,或重新回归地下水中,这就是"盐随水来,盐随水去"的水盐运动规律。

青浦区农民对大棚盐渍化的处理一般采用两种方式:一是大棚迁至他处,原土地弃之不用或改种水稻;二是深翻,再用地表水洗盐。这两种方式,要使已经盐渍化的土壤短期内恢复到原来状态是十分困难的。在实施渗灌的大棚内,对盐渍化土壤的治理,只需改暗管供水为暗管排水,就能达到明显的成效。暗管排水效果是不争的事实,只要对其表土实施灌溉,使土壤水分充分饱和,根据"盐随水来,盐随水去"的水盐运动规律,上部土壤水分在不断入渗过程中,积累在表土的盐分也会随之通过暗管排向棚外。青浦区水利技术推广站曾对种植草莓 10 年、已严重盐渍化的大棚土壤进行洗盐试验,取得了良好效果。总共用不到 10 天的时间,就可以使严重盐渍化的土壤盐分显著降低。试验结果见表 3。

表 3 洗盐试验成果 （单位:mg/kg）

盐分	本底值	4 月 1～4 日	4 月 4～7 日	4 月 7～10 日
Ca^{2+}	19.8	13.1	9.0	7.1
Mg^{2+}	80.2	55.3	30.3	25.7
Cl^-	52.9	29.5	22.9	18.7

5 结语

由此可见,对设施农业实施渗灌,不仅可以有效防范大棚土壤盐渍化,且对已发生严重盐渍化的大棚土壤,利用其渗灌工程设施进行洗盐,可在短时间内显著降低土壤盐分,减少大棚迁址等诸多麻烦。因此,应在设施农业中大力推广渗灌。

大棚蔬菜滴灌量的试验与耗水量估算

盛　平[1]　王培兴[2]　洪嘉琏[3]

（1.上海市佘山农田水利试验站,上海 201602；
2.上海市水利排灌管理处,上海 200011；
3.中国科学院地理所,北京 100000）

目前大棚蔬菜大多数用传统的浇灌方法,为了探讨既省工又省水的高产灌溉技术,我们应用滴灌方法开展了不同灌水量对蔬菜耗水量影响的试验,为大棚蔬菜高产的滴灌定额提供科学依据。

1　不同灌水处理蔬菜产量对比

1.1　三种灌水量处理

处理 1：当土壤含水量达到田间持水量 65% 左右时开始灌水至田间持水量,青紫泥土 30 cm 土层平均田间持水量含水率为 34.8%（干土重百分数）。

处理 2：当土壤含水量达到田间持水量 75% 左右时开始灌水至田间持水量。

处理 3：当土壤含水量达到 85% 左右时开始灌水至田间持水量。

各处理小区土壤湿度的变化,用负压计监测。

1.2　不同灌水处理蔬菜产量比较

不同灌水处理的产量（见表 1）测定结果是：处理 3 的产量最高,黄瓜为 90 427.5 kg/hm²,茄子为 39 853.5 kg/hm²；其次是处理 2,黄瓜为 89 461.5 kg/hm²,茄子为 38 764.5 kg/hm²；处理的产量最低,黄瓜为 82 882.5 kg/hm²,茄子为 35 932.5 kg/hm²。田间持水量 85% 与田间持水量 65% 水分处理的产量比较,黄瓜高 9.1%；茄子高 10.9%。

2　黄瓜、茄子耗水量的估算

所谓耗水量,系指作物蒸腾量和棵间土壤表面蒸发量之总和,也称农田蒸散量。目前国内测定作物耗水量较流行方法有桶测法、坑测法和器测法（如 Lysimeter）,这三种方法比较简单,但面积较小,代表性差,其他方法还有水量平衡法（也称田测法）、热量平衡法和乱流扩散法等。本试验蔬菜耗水量估算采用水量平衡法。农田水量平衡方程式由农田水量收支要素组成,其方程式由下式表示：

$$P + I + Q_1 + E_g = P_a + R + Q_z + E_p \pm \Delta W \tag{1}$$

式中：P 为降水量,mm；I 为灌溉水量,mm；Q_1、Q_z 分别为土壤中水平流入、流出量,mm；E_g 为潜水补给量,mm,国内也称潜水蒸发量；P_a 为入渗量,mm；R 为地表径流量,mm；E_p 为蔬菜耗水量,mm；ΔW 为土壤蓄水变量,mm。

在上海河网地区,一般可假定 $Q_1 = Q_z$（因为土壤水分交换以垂直为主）,又因本试验是在塑料大棚内进行的,每次水量控制在田间持水量以下,故 P、P_a、R 三项可不予考虑,经简

化后式(1)可以写成:

表 1 各灌水处理产量对比

蔬菜种类	灌水处理	始收期	终收期	小区产量 (kg)	折合产量 (kg/hm²)	与处理1比较 (%)
黄瓜	1	4月16日	6月18日	140.6	82 882.5	
	2	4月16日	6月18日	151.8	89 461.5	+7.9
	3	4月16日	6月18日	153.4	90 427.5	+9.1
茄子	1	5月20日	7月15日	61.0	35 932.5	
	2	5月20日	7月15日	65.8	38 764.5	+7.9
	3	5月20日	7月15日	67.6	39 853.5	+10.9

$$E_p = I + E_g \pm \Delta W \tag{2}$$

式中,I、ΔW 可根据田间实测资料得到,E_g 是地下水通过毛管带上升补给土壤层水分的结果,它的大小取决于地下水埋深、土壤水分含量大小、毛管带上升高度等因素,可用潜水蒸发器测定,也可利用经验公式计算,其表达式为:

$$E_g = E_0(1 - \frac{\Delta}{\Delta_0})^n \tag{3}$$

式中:E_0 为水面蒸发力,mm/d,本文采用 E_{601} 水面蒸发量;Δ 为地下水埋深,cm;Δ_0 为潜水蒸发为零时的地下水埋深,亦称极限埋深,cm;n 为与气候、土壤性质、地下水位等有关的指数因子。

Δ_0、n 等参数要根据试验观测资料率定,n 为 2,Δ_0 为 160 cm。

以上是无作物露地潜水蒸发计算式。据有关试验测定,有无作物的潜水蒸发量相差很大,一般有作物的比无作物的要大 1~2 倍。因此,有作物时必须乘上一个系数(C),不同作物系数是不同的,我们参阅了有关文献,对黄瓜系数选用 2,茄子选用 1.7。

通过式(2)和式(3)对两种蔬菜各生育期,三种灌水处理的实测资料进行了水量平衡计算。其结果见表 2 和表 3。

表 2 黄瓜各生育期的耗水量

生育期	天数	灌水处理 (%)	耗水量 (mm)	占全生育期 (%)	平均日耗 水量(mm)	E_{601}水面蒸 发量(mm)	耗水量/水面 蒸发量
苗期 (移栽后)	18	1	16.6	4.5	0.92	22.2	0.75
		2	18.0	3.8	1.0		0.81
		3	18.1	3.5	1.0		0.81
始花期	17	1	58.7	15.9	3.45	47.1	1.25
		2	72.2	15.2	4.25		1.53
		3	75.4	14.5	4.44		1.60
始果期	24	1	90.4	24.5	3.77	68.6	1.32
		2	124.9	26.3	5.21		1.82
		3	139.5	26.8	5.81		2.03

生育期	天数	灌水处理（%）	耗水量（mm）	占全生育期（%）	平均日耗水量(mm)	E_{601} 水面蒸发量(mm)	耗水量/水面蒸发量
盛果期	22	1	137.8	37.4	6.26	74.3	1.85
		2	175.4	36.9	7.97		2.36
		3	196.6	37.7	8.94		2.65
后期	18	1	65.1	17.7	3.62	41.6	1.56
		2	84.9	17.8	4.70		2.04
		3	91.2	17.5	5.07		2.19
全生育期	99	1	368.6	100	3.72	253.8	1.35
		2	475.4	100	4.80		1.71
		3	520.8	100	5.26		1.86

表 3 茄子各生育期的耗水量

生育期	天数	灌水处理（%）	耗水量（mm）	占全生育期（%）	平均日耗水量(mm)	E_{601} 水面蒸发量(mm)	耗水量/水面蒸发量
苗期（移栽后）	20	1	16.2	4.2	0.81	23.3	0.70
		2	17.4	3.4	0.87		0.75
		3	17.5	3.1	0.88		0.75
始花期	34	1	111.8	28.7	3.29	96.5	1.16
		2	129.2	25.3	3.8		1.34
		3	138.0	24.5	4.06		1.43
始果期	23	1	87.5	22.5	3.8	77.3	1.13
		2	112.6	22.1	4.9		1.46
		3	127.5	22.8	5.54		1.65
盛果期	24	1	111.1	28.6	4.44	67.7	1.64
		2	160.1	31.4	6.4		2.36
		3	182.5	32.6	7.3		2.70
后期	24	1	62.3	16.0	2.6	42.4	1.47
		2	90.8	17.8	3.78		2.14
		3	94.6	16.9	3.94		2.24
全生育期	126	1	388.9	100	3.09	307.2	1.22
		2	510.1	100	4.05		1.61
		3	560.1	100	4.44		1.75

2.1 黄瓜耗水量

由表 2 看出,三种灌水处理的耗水量以处理 3(田间持水量 85%)的耗水最多,全生育期总量为 520.8 mm;其次为处理 2(田间持水量 75%),为 475.4 mm;处理 1(田间持水量 65%)的耗水最少,只有 368.6 mm。随着植株生长发育,各生育期耗水强度是不同的,以处理 3 为例,盛果期耗水强度最大,平均日耗水量可达 9 mm;其次是始果期,平均日耗水量为 5.8 mm;苗期耗水强度最小,平均日耗水量仅为 1mm。其他两种处理也显示了类同的规律。同时还可看出,在苗期三种水分处理的耗水强度较接近,而在其他生育期对水分的需求是不同的。

2.2 茄子耗水量

由表 3 可知,茄子耗水量仍以处理 3(田间持水量 85%)最多,全生育期总量可达 560 mm;其次是处理 2(田间持水量 75%),总量为 510 mm;处理 1(田间持水量 65%)最少,仅为 388.9 mm。各生育期耗水强度,其规律与黄瓜相似,也是盛果期最大(以处理 3 为例),平均日耗水量达 7.3 mm;苗期最小,平均日耗水量仅为 0.88 mm。茄子的耗水强度比黄瓜小,全生育期平均日耗水量,黄瓜为 5.3 mm;而茄子仅为 4.4 mm。同时也说明不同种类的蔬菜对水分需求是有差异的。

2.3 耗水量与水面蒸发力的关系

耗水量大小及其变化,除了受作物本身生物学特性影响外,还受环境气象因子的制约,而水面蒸发力是反映气象因子的综合指标。因此,耗水量与水面蒸发力有一定关系,从表 2 和表 3 可知,在苗期由于气温低,植株矮小,其耗水量低于同期水面蒸发力,比值:黄瓜为 0.75~0.81;茄子为 0.70~0.75。随着气温回升,植株生长加快,叶面积指数增大,苗期后的各生育期耗水量均大于同期水面蒸发力,其中以盛果期最大,比值:黄瓜为 1.85~2.65;茄子为 1.64~2.70。到盛果后期比值又逐渐降低,黄瓜降至 1.56~2.19;茄子降至 1.47~2.24。从三种灌水处理的比值来看,处理 3>处理 2>处理 1,全生育期耗水量与同期水面蒸发力的比值,黄瓜分别为 1.86、1.71、1.35,茄子分别为 1.75、1.61、1.22。

3 蔬菜产量与耗水量的关系

作物产量与耗水量之间的关系称为水分生产函数,有线性和二次抛物线形等形式,即

$$Y_0 = a_0 + b_0 E_p \tag{4}$$

$$Y = a_1 + b_1 E_p + c_1 E_p^2 \tag{5}$$

式中:Y 为蔬菜产量,kg/hm^2;E_p 为耗水量,m^3/hm^2 或 mm;a_0、b_0、a_1、b_1、c_1 均为经验系数。

作物水分生产函数可分为两大类:一是作物产量与全生育期总耗水量的关系;二是作物产量与各生育阶段耗水量的关系。生产实践表明,在作物生长发育过程中,大多是阶段缺水,所以第二类作物水分生产函数更能反映作物产量与耗水量的关系,也符合客观情况。

根据大量研究结果表明,E_p 与 Y 的关系,大致可分为两种情况:一是在土壤干旱情况下,如果得到灌溉,耗水量是随产量增加而增加(决定于土壤条件);二是当土壤水分满足作物需求时,Y 与 E_p 的关系出现一个明显的界限值,当 E_p 小于此界限值时,Y 随 E_p 的增加而增加,开始增幅较大,然后减小,当达到该界限值时,产量不再增加,Y 随 E_p 增大而减小,因此呈现二次抛物线关系。E_p 大于界限值时,因为 E_p 过大,一般都伴随着长时期的土壤水分过高,会使土壤通气性变差,根部呼吸减弱,有害物质积累,作物正常生长条件受到破坏,造成减产。本次试验未做土壤过湿条件下的耗水量测定,因此没有建模。但从不同土壤含水量的两种蔬菜试验来看,Y 基本上随 E_p 增大而增高(见表 4)。同时还可看出,当 Y 达到一定水平以后,Y 随 E_p 增大而增加的幅度明显减小。说明了在滴灌条件下,土壤水分处于满足作物要求阶段。

表 4 蔬菜产量与耗水量的关系

蔬菜种类	项目	灌水处理		
		处理 3	处理 2	处理 1
黄瓜	产量(kg/hm²)	90 427.5	89 461.5	82 882.5
	总耗水量(m³/hm²)	5 613	4 753.5	3 685.5
茄子	产量(kg/hm²)	39 853.5	38 764.5	35 932.5
	总耗水量(m³/hm²)	5 601	5 101.5	3 889.5

4 菜地缺水与灌溉水量的计算

当土壤水分亏缺影响作物正常生长发育时就需要进行灌溉。从土壤水分平衡的观点出发,在某一阶段或作物全生育期内,供给土壤的水量小于土壤水分消耗量时即产生土壤水分亏缺(Soil water deficit),在有塑料大棚条件下可写成:

$$SWD = E_p - E_g \tag{6}$$

式中:SWD 为某阶段的土壤水分亏缺量,mm;E_g 为潜水补给量,mm;E_p 为作物耗水量,mm。

SWD 仅从土壤水分供需平衡状况反映了某阶段土壤水分收支平衡状况。只有当 SWD 大于某一数值时,才会对作物生长发育产生不利影响,即产生水分胁迫 SWS(Soil water stress),SWS 更能反映与作物缺水之间关系,一般可写成:

$$SWS = SWD - (W_0 - W_j) \tag{7}$$

或

$$SWS = E_p - E_g - (W_0 - W_j) \tag{8}$$

式中:SWS 为土壤水分胁迫指标,mm;SWD 为土壤水分亏缺量,mm;W_0 为某阶段初始土壤蓄水量,mm;W_j 为作物正常生长发育所允许的最小土壤蓄水量的临界值,mm,其值与土壤性质有关,这里采用青紫泥土初始凋萎含水量为 24.4%(干土重百分数)。

严格地从物理学意义上说,SWD 与 SWS 是两个不同的概念,但它们之间有密切的联系。SWD 没有考虑到土壤原有蓄水量的水平和作物允许的最小蓄水量要求,而 SWS 反映了与作物的关系,因此用土壤水分胁迫指标作为灌溉指标更有科学性。

为了生产上实际应用,对式(8)中 E_p 和 E_g 可简化计算,采用经验系数法,即

$$\alpha = E_p/E_{601} \quad \beta = E_g/E_{601} \tag{9}$$

式中:α 为耗水系数;β 为潜水蒸发系数;E_{601} 为水面蒸发力,mm,根据试验资料按式(9)计算了黄瓜、茄子各生育期的 α、β 系数,列于表5(按处理 2 产量水平)。

土壤蓄水量可按下式计算,即

$$W = q_n \times \gamma_c \times H \times 10 \tag{10}$$

式中:W 为土壤蓄水量,mm;γ_c 为土壤容重,g/cm³;q_n 为土壤含水率,干土重百分数;H 为湿润层深度,cm。

蔬菜根系比较浅,故 H 一般取 30 cm,青紫泥土 30 cm 土层平均干容重为 1.31 g/cm³。

表5 黄瓜和茄子各生育期的 α、β 值

蔬菜种类	系数	生育期					全生育期
		苗期	始花期	始果期	盛果期	后期	
黄瓜	α	0.81	1.53	1.82	2.36	2.04	1.71
	β	1.21	0.81	0.96	1.09	1.39	1.06
茄子	α	0.75	1.34	1.46	2.36	2.14	1.61
	β	0.95	0.80	0.78	1.17	1.09	0.93

5 结论

通过试验资料分析,得到以下几点结论:

(1)从三种水分处理测产结果来看,以处理 3 产量最高,黄瓜为 90 427.5 kg/hm²,茄子为 39 853.5 kg/hm²;其次是处理 2,黄瓜为 89 641.5 kg/hm²,茄子为 38 764.5 kg/hm²;处理 1 产量最低,黄瓜为 82 882.5 kg/hm²,茄子为 35 932.5 kg/hm²。处理 3 比处理 1 黄瓜产量高 9.1%,茄子高 10.9%;处理 2 比处理 1 黄瓜、茄子均高 7.9%。

(2)蔬菜耗水量基本是随着供水量增加而增大。以处理 3 耗水量最多,黄瓜为 520.8 mm,茄子为 560.1 mm;其次是处理 2,黄瓜为 475.4 mm,茄子为 510.1 mm;处理 1 耗水最少,黄瓜为 368.6 mm,茄子为 388.9 mm。黄瓜耗水强度比茄子大,全生育期平均日耗水量,三种水分处理,黄瓜分别为 3.72、4.80、5.26 mm;茄子分别为 3.09、4.04、4.44 mm。

(3)耗水量与水面蒸发力关系:在苗期耗水量低于同期水面蒸发力。全生育期耗水量与同期水面蒸发力的比值,三种水分处理黄瓜分别为 1.35、1.71、1.86;茄子分别为 1.22、1.61、1.75。

(4)耗水量与产量的关系:从本次试验结果看,产量基本上随耗水量增大而增高,当产量达到一定水平以后,产量随耗水量增大而增加的幅度明显减小。

(5)灌溉指标用土壤水分胁迫指标比用土壤水分亏缺量更能反映与作物缺水的关系。

参 考 文 献

[1] 阿尔帕季耶夫 A M.栽培植物的耗水量问题.见:灌溉农业生物学基础.北京:科学出版社,1961
[2] 凌美华.冬小麦农田蒸发量及计算方法研究.地理集刊,1980(12)
[3] 刘昌明,等.低洼地渍害与治理试验研究.大连:大连出版社,1990
[4] 徐克辉,任鸿遵,洪嘉琏,等.低洼地水分参数与农作物开发利用.北京:气象出版社,1995

上海地区粮食作物灌溉用水研究

盛 平 黄光辉

(上海市佘山农田水利试验站,上海 201602)

上海地处长江三角洲东缘、太湖流域下游,光热条件较好,水源充足,土壤肥沃,农业生产自然条件优越。随着现代农业的逐步推进,要以农田灌排自动化为目标,以信息化管理为龙头,实行精准计量控制,需要提供各类作物的灌溉参数,做到合理灌水,达到科学的节水目的。

本文旨在利用水量平衡法的原理,探索作物在不同土壤墒情条件下的耗水系数、灌溉定额及灌溉周期,用以制定科学的灌溉制度,为提高水的利用率和水分生产效率提供科学依据,为上海地区粮食作物灌溉用水提供服务。

1 水稻需水量

水稻需水量包括叶面蒸腾、棵间蒸发和地下渗漏。前者属于水稻的生理需水,后两者为稻田的生态需水。在研究耗水量时,主要分析不同生育期蒸散发过程。

1.1 叶面蒸腾

叶面蒸腾是水稻吸收水分和无机元素的原动力,能促进水分、养分在稻体内的循环和平衡。叶面蒸腾有两种方式:一是叶片上的气孔蒸腾;二是叶片上的角质蒸腾。其蒸腾强度随自身蒸腾面的大小而变化,一般呈单峰曲线,从表 1 可看出,其峰值在分蘖末期—孕穗期。水稻各生育阶段的叶面蒸腾量见表 1。

表 1　水稻各生育期叶面蒸腾值　　　　　　　　(单位:mm)

生育期	返青	分蘖初期	分蘖盛期	分蘖末期	拔节孕穗	抽穗开花	灌浆乳熟	黄熟	合计
总量	18.5	9.9	38.1	47.5	113.3	36.0	86.7	41.0	391.0
日平均	1.41	0.99	3.81	4.32	4.36	3.60	3.43	2.41	3.20

叶面蒸腾的过程实质上是一种生理过程,其控制机制包括两个方面:一是由作物自身的生理生态状况所决定的;二是由大气状况所决定的。

1.2 棵间蒸发

棵间蒸发是水稻棵间的水面或土壤的蒸发量,是田间小气候的综合反映。在田间小气候的温度、空气湿度、土壤湿度、风速等因素中,温度是关键因素,因此棵间蒸发量与温度关系最为密切,实测资料中棵间蒸发的峰值在分蘖盛期,日平均为 4.21 mm(见表 2),而平均气温的峰值也在分蘖盛期,相关性较好。

表 2　水稻各生育期棵间蒸发值　　　　　　　　(单位:mm)

生育期	返青	分蘖初期	分蘖盛期	分蘖末期	拔节孕穗	抽穗开花	灌浆乳熟	黄熟	合计
总量	36.8	9.9	42.1	25.7	37.4	9.2	15.9	17.2	194.2
日平均	2.83	0.99	4.21	2.33	1.44	0.92	0.64	1.01	1.59

1.3 耗水量

从表3可看出,单季稻的耗水高峰在分蘖盛期,因为此时叶面积急剧增长,叶面蒸腾量明显增加。棵间蒸发量虽然受到分蘖增加的影响,但由于气温高,分蘖盛期也达到了最大值(见表2)。因此,综合以上两个因素,在分蘖盛期单日耗水强度最大。

表3 水稻各生育期耗水量

生育期	返青	分蘖初期	分蘖盛期	分蘖末期	拔节孕穗	抽穗开花	灌浆乳熟	黄熟	合计
天数(d)	13	10	10	11	26	10	25	17	122
总量(mm)	55.3	19.8	80.2	73.2	150.7	45.2	102.6	58.2	582.2
日平均(mm)	4.25	1.98	8.02	6.65	5.80	4.52	4.10	3.4	4.80

1.4 耗水量估算

水稻耗水量的变化受多种复杂因素所支配,所以对耗水量的估算方法也各不相同,一般有以产量为指标的耗水系数法、以水面蒸发为指标的耗水系数法,许多试验资料表明,以产量为指标的耗水系数法应用价值不大,因此一般只对后者进行研究。

水稻耗水量的变化,主要决定于气候条件。以水面蒸发为指标的耗水系数(α值)推算公式如下:

$$E = \alpha E_0 \tag{1}$$

式中:E 为耗水量,mm;α 为以水面蒸发为指标的耗水系数;E_0 为水稻生育期内水面蒸发,mm。

本试验全生育期 α 值为 1.53,各生育阶段 α 值见表4。

表4 水稻各生育期 α 值

生育期	返青	分蘖初期	分蘖盛期	分蘖末期	拔节孕穗	抽穗开花	灌浆乳熟	黄熟	合计
E_{601} (mm)	43.9	13.7	50.1	39.3	96.5	28.1	61.2	46.8	379.6
α	1.26	1.44	1.60	1.86	1.56	1.61	1.68	1.26	1.53

这一方法综合考虑了气候因素,特别是在以水层为主的灌溉方式下,温、湿、风状况对叶面蒸腾和棵间蒸发的大小具有决定性的作用。此方法较接近于水稻耗水量的实际变化。

应用式(1),可根据历年气象资料,或设计年的水面蒸发值乘 α 数值推算耗水量。

2 小麦耗水量观测研究

本试验自 1987 年 11 月 11 日播种至 1988 年 6 月 2 日收获,经过冬、春、夏 3 个季节,历时 205 天。在整个生育期内潜水埋深控制在 60 cm,土壤含水量保持在田间持水量的 75.85%,根据全生育期测定,小麦总耗水量为 605.9 mm。

2.1 不同生育阶段小麦耗水特征

小麦各生育期,因生理、生态和气象条件变化,小麦耗水过程可明显地分为四个阶段:第一阶段从播种到分蘖,此阶段植株幼小,生长缓慢,田间地表大部分裸露,棵间蒸发占主要部分。由于小麦处于越冬期,气温很低,蒸发很小,平均日耗水量为 1.12 mm。此阶段为 111 天,总耗水量为 124.3 mm,占全生育期的 20.5%。

第二阶段从拔节至孕穗,在此期间,随着气温回升,小麦生长较快,耗水量增加也较快,平均日耗水量为 4.32 mm。第二阶段为 51 天,总耗水量为 220.3 mm,占全生育期的 36.4%。

第三阶段从抽穗至灌浆期,是小麦生长旺盛时期,田间郁闭度增大,作物需水量最多,作物蒸腾占主要部分。此阶段麦田耗水量最大,平均日耗水量可达 7.05 mm。第三阶段为 30 天,仅仅占全生育期天数的 14.6%,而总耗水量却占全生育期的 1/3,是小麦的主要耗水时期。

第四阶段从乳熟至成熟期,此阶段随着植株衰老,叶子变黄,蒸腾减弱,平均日耗水量降至 3.83 mm。第四阶段为 13 天,总耗水量 49.8 mm,占全生育期 8.2%。全生育期平均日耗水量为 2.96 mm。最大日耗水量为 12.9 mm(5 月 12 日)。

2.2 小麦耗水量计算

估算作物耗水量的方法很多,其中,布达戈夫斯基公式综合考虑了影响作物耗水量的主要因子,适用于各种作物耗水量的计算,用布氏方法建立了水量计算模式:

$$E_p = \alpha \cdot W \cdot E_T \tag{2}$$

式中:α 为生育期系数(实际耗水量与空气饱和差比例系数);W 为作物根系层(0~60 mm)土壤水分含量;E_T 为麦田蒸发力(采用彭曼公式计算)。

本地区由于地势低洼,地下水位高,土壤足够湿润,水分不成为小麦生长发育的限制因子。因此,气象条件和生物因子便是决定作物耗水强度的主要因子,故式(2)可写成:

$$E_p = \alpha E_T \tag{3}$$

将式(3)变换后,可写成:

$$E_p / E_T = f(\alpha) \tag{4}$$

根据小麦实测耗水量的资料,绘制相关散点图,从图中的散点分布规律来看,呈双曲线关系。即:

$$1/(E_p / E_T) = a + b/\alpha \tag{5}$$

通过回归计算,得出:

$$1/(E_p / E_T) = 0.242 + 0.350/\alpha \tag{6}$$

相关系数为 0.999 8。

因为 $\alpha = E_p/D$,代入式(6)消除 α,经整理后,得出:

$$E_p = n[(E_T - 0.350D)/0.242] \tag{7}$$

式中:D 为空气饱和差,mbar;n 为各生育期的天数。

应该指出,生育期系数是一个不稳定的参数,对某种作物来讲,它随着品种、种植密度、生长状况以及气象条件和土壤湿度的改变而变化,但作为估算作物耗水量的指标是有意义的。

为了检验式(7)适用精度,进行了误差分析(见表 5)。

由表 5 看出,各生育期的相对误差中,正误差占 3 个生育期,负误差占 2 个生育期。以越冬—分蘖期相对误差最大,为 3.0%;乳熟—成熟期最小,为 0.4%;全生育期相对误差只有 0.08%。各生育期平均相对误差也只有 1.61%。总的看来误差都很小,因此式(7)用于上海低洼地区土壤湿润的麦田,估算小麦耗水量具有较高的精度。

表 5　应用式(7)验算误差统计

生育期 (天数)	播种—出苗 (30 天)	越冬—分蘖 (81 天)	拔节—孕穗 (51 天)	抽穗—灌浆 (30 天)	乳熟—成熟 (13 天)	全生育期 (205 天)
计算值(mm)	30.4	96.2	216.0	213.8	50.0	606.4
实测值(mm)	30.9	93.4	220.3	211.5	49.8	605.9
相对误差(%)	−1.62	3.00	−1.95	1.09	0.40	0.08

3　春玉米耗水量的观测研究

玉米各生育期,因生理、生态和气象条件的变化,对水分的要求不同,因此耗水量有明显的差异。

苗期:植株小,生长缓慢,叶数少,叶面积系数低,因而叶面蒸腾量小,由于田间地表大部分裸露,棵间蒸发占主要部分。该阶段耗水量约占全生育期总耗水量的 30.06%(见表 6),平均日耗水量为 2.34 mm,最大日耗水量为 6.67 mm,是玉米全生育期耗水量较少的时期。

表 6　春玉米各生育期的耗水量

生育期	时段	天数 (天)	耗水量 (mm)	占全生育期 (%)	平均日 耗水量 (mm)	最大日 耗水量 (mm)	降雨量 (mm)
苗期	3 月 30 日~ 5 月 18 日	50	117.15	30.72	2.34	6.67	133.9
拔节期	5 月 19 日~ 6 月 8 日	21	99.37	26.06	4.73	9.41	27.2
抽雄期	6 月 9 日~ 6 月 13 日	5	42.01	11.02	8.40	16.46	0.7
吐丝期	6 月 14 日~ 6 月 30 日	17	107.62	28.22	6.33	14.99	231.0
成熟期	7 月 1 日~ 7 月 12 日	12	15.17	3.98	1.26	8.24	79.6
全生育期	3 月 30 日~ 7 月 12 日	105	381.32	100.0	3.63	16.46	472.4

拔节期:植株进入旺盛的生长阶段,茎叶增长速度加快,雌雄穗开始分化,即营养生长和生殖生长同时进行,而且随着气温升高,叶面蒸腾增强,棵间蒸发量也在增加。该时期耗水量占全生育期耗水量的 26.06%,平均日耗水量为 4.73 mm。

抽雄期:玉米由营养生长为主进入生殖生长为主阶段,干物质积累增加,要求充足的水分以满足其生长发育的需要。抽雄期是需水高峰期,此期如果水分不足,对产量将有严重影响。该期平均日耗水量达 8.4 mm,最大日耗水量 16.46 mm,是全生育期最多的时期。

吐丝期:植株进入灌浆结实阶段,植株的光合、蒸腾作用都较强,也是对水分要求敏感的时期。该期的平均日耗水量低于抽穗期,为 6.33 mm,最大日耗水量为 14.99 mm。

成熟期:植株生理机能逐渐衰退,叶片变黄,蒸腾减弱,耗水量也明显减少,平均日耗水量为 1.26 mm,此期耗水量只有 15.17 mm,占全生育的 3.98%。

玉米全生育期处在高温时期,因此耗水较多。本试验的春玉米产量水平为 7 134 kg/hm², 种植密度为 6 万株/hm², 总耗水量为 381.22 mm,全生育期平均耗水量为 3.63 mm。耗水顶峰在抽雄期,成熟期最低。拔节至吐丝期耗水天数仅占全生育期天数的 40.95%,而耗水量却占全生育期总量的 65.3%。

水面蒸发与作物耗水量之间存在着一定程度的关系,所以可以用蒸发量这一参数来推求无资料地区的作物耗水量,推算公式同式(1)。

本试验采用 E_{601} 蒸发器水面蒸发为指标,计算春玉米耗水系数(见表7)。

表7 春玉米各生育期 α 值

生育期	苗期	拔节期	抽雄期	吐丝期	成熟期	合计
实测需水量(mm)	117.15	99.37	42.01	107.62	15.17	381.32
E_{601}蒸发量(mm)	84.1	65.7	18.2	42.3	13.0	223.3
α 值	1.39	1.51	2.31	2.54	1.17	1.71

全生育期 α 值为 1.71,以吐丝期 α 值最大,为 2.54;成熟期 α 值最小,为 1.17。

4 结语

本文通过大量的试验观测和资料分析,进行水量平衡计算,研究上海地区粮食作物灌溉用水规律。

(1)水稻需水量。水稻需水量包括叶面蒸腾、棵间蒸发和地下渗漏。叶面蒸腾强度随自身蒸腾面的大小而变化,一般呈单峰曲线;棵间蒸发量与温度关系最为密切,实测资料中棵间蒸发的峰值在分蘖盛期;单季稻的耗水高峰在分蘖盛期,其耗水量计算以耗水系数法较为接近于水稻耗水量的实际变化,全生育期 α 值为 1.53。

(2)小麦耗水量。小麦耗水过程分为四个阶段:播种到分蘖阶段,总耗水量占全生育期的 20.5%;拔节至孕穗阶段,总耗水量占全生育期的 36.4%;抽穗至灌浆阶段,总耗水量占全生育期的 1/3,是小麦的主要耗水时期;乳熟至成熟阶段期,总耗水量占全生育期的 8.2%。

(3)春玉米耗水量。玉米苗期耗水量约占全生育期总耗水量的 30.06%;拔节期耗水量占全生育期耗水量的 26.06%;抽雄期耗水量约占全生育期总耗水量的 11.02%;吐丝期耗水量占全生育期耗水量的 28.22%;成熟期耗水量占全生育期耗水量的 3.98%。